Jizo Sorimachi
雪車町地蔵
ill. tokiwa.
回復術士だと思っていたら、世界で最初の衛生兵でした！
勇者パーティーを追放されたヒーラーは、戦場の天使と讃えられました
宝島社

レーア・レヴトゲン
エイダ・エーデルワイス

ヨシュア・ヴィトゲンシュタイン
ベルナデッタ・アンティオキア
マリア・イザベル
エルク・ロア・ページェント

「『彼女《ファースト・エイダ》は私に手を伸ばし――
私は拙速の手当を施す！』」
伸ばした手が、掴まれる。
続いた激痛こそが、レーアの意識を、命を、
今度こそこの世に繋ぎ止めた。

回復術士だと思っていたら、世界で最初の衛生兵でした！

勇者パーティーを追放されたヒーラーは、戦場の天使と讃えられました

kaifukujutsushi dato
omotteitara, sekai de saisho no
eiseihei deshita!

yuusha party wo tsuihou sareta healer wa,
senjou no tenshi to tataeraremashita

CONTENTS

第一章

革新的医療、応急手当を戦場に導入します！

episode 01

「ちぎれた手足も治せない回復術士《ヒーラー》とか、不要《い》らないんだよねぇ！」

はぐれ魔族の討伐《とうばつ》から戻ったところで突然、回復術士の少女エイダ・エーデルワイスは、解雇通知を言い渡された。

エイダが所属する冒険者パーティー〝烈火団《れっかだん》〟。

その団長である双剣士ドベルク・オッドーは、呆然《ぼうぜん》と立ち尽《つ》くすエイダへと、苛立《いらだ》ち混じりの舌打ちを投げつける。

「ど……どうしてですか？　私はこれまで、皆さんのお役に立ってきたと思っていたのですが……」

我に返ったエイダが、なんとか絞《しぼ》り出した言葉。

それは、至極もっともな疑問だった。

幼い頃に実家を放逐《ほうちく》され、貧民窟《ひんみんくつ》同然の亜人街《あじんがい》で食うや食わずのその日暮らしをしていた彼女を、貴重な回復術士だからと拾ってくれたのは、他ならぬドベルクである。

粗末とはいえ食事と寝床を与えられた彼女は、烈火団に多大な恩義《おんぎ》を感じ献身的《けんしんてき》に尽くしてきた。

炊事洗濯《すいじせんたく》、家事百般《かじひゃっぱん》。

それにとどまらず経理や簡単な薬品の調合《ちょうごう》からベッドメイキングまで。

ありとあらゆる雑務をこなし、烈火団を陰日向なく支え続けた。

否《いな》、それだけではない。

回復術士として彼女は、甲斐甲斐《かいがい》しく戦闘にすら同行したのだ。

これは、異常なまでの献身であった。

傷を癒《い》やすことのできる回復術士。

あるいは手足の再生や、死亡直後に限り死者の蘇生をも可能にする聖女は、とても貴重な存在だ。

ヒーラーならば、一万人にひとり。

聖女ともなれば、十万人にひとり産まれるかどうかなのである。

だからその亡失《ぼうしつ》は、国家的不利益に直結し、万一の過失を避《さ》けるため、直接戦闘へ参加する回復術士というのは基本的に存在しない。

後方で待機し、戦いから戻ってきた戦士たちを癒やすこと。

それこそが一般的な役目であって、ともに戦うなどもってのほかだ。

そんなありえない振る舞いを、エイダはこれまで平然と繰り返してきた。

ゆえに、「どうしてですか？」と彼女は訊《たず》ねる。

しかし――

「おまえが、コ・ヒールしか使えない雑魚《ざこ》だからに決まってるじゃん」

非情にもドベルクは、これを一蹴する。

……たしかに、エイダが使える魔術は、代謝《たいしゃ》を高め回復を促《うなが》す局地的回復術《コ・ヒール》だけだ。

瞬時に傷を癒やすような回復術《ヒール》は使えない。

もげた腕をくっつけることも、失われた命を取り戻すこともできない。

だからこそ、彼女は常に烈火団とともにあった。

どんな強敵が相手でも、パーティーメンバーと一緒に挑み、時に攻撃を防《ふせ》ぎ、時には加勢《かせい》し、誰かが怪我を負《お》えば的確《てきかく》な処置《しょち》を施《ほどこ》してきた。

事実、烈火団はいかなる死地《しち》、いかなる魔族と戦っても生還する〝不死身の冒険者パーティー〟として勇名《ゆうめい》を馳《は》せている。

炎と双剣を操り、不死鳥と渾名《あだな》されるドベルクなど、その代名詞だ。

「このように、私は皆さんへ応急手当で貢献してきました。応急手当は命を繋《つな》ぐ技術です。これまで皆さんが無事に街まで戻れていたのも、処置が適切だったからで――」

「それ。それが一番わからん。なんだ応急手当って？　なんか役に立ってるの？」

ドベルクは、鼻炎気味《びえんぎみ》の洟《はな》をすすりながら呆れたように言い放つ。

「――――」

絶句《ぜっく》する彼女を、部屋の隅にいたメンバーたちが冷笑《れいしょう》した。

止血《しけつ》、心肺蘇生《しんぱいそせい》、凍傷《とうしょう》や火傷《やけど》の処置。

これまで彼女が行ってきた手当の数々は、どうやらドベルクに――そして他のメンバーたちにも、カケラたりとも理解されていなかったらしい。

「応急手当がなければ……皆さんは、死んでいたかもしれないのですよ？」

「俺たちが生き延びてきたのはさぁ、俺たちがめちゃくちゃ強いからだぜ！　みんなもそう思うだろ？」

「当たり前だわ！」

「我《わ》が輩《はい》ら、軍隊を除けば最強の冒険者だからな！」

はやし立て、同意するメンバーたち。

ドベルクは満足したように頷《うなず》き。

それから、さも今思い出したかのように手を打って、ある事実をエイダへと告げた。

「あー、じつはさ、今度パーティーに聖女様を加入《くわ》えるんだよね。もちろん手足の一本や二本生やせちゃう本物よ。そうなったら当然――おまえみたいな無能、お払い箱だよなぁ……？　言ってる意味、わかるかぁエイダぁ？」

「…………」

ことここに至って。

エイダ・エーデルワイスは、それ以上言《い》い募《つの》るのをやめた。

恩人たちが、自分を要らないとここまで言っているのだ。

ならばそれは、自身の努力が足りなかったからに違いない。

彼女は下唇を噛《か》みながら、無言でドベルクへと頭を下げ、団員の証《あか》しであるバッジを返上する。

受け取ったドベルクは、ニヤァッと気味の悪い笑みを浮かべ、

「そうそう、それで俺たちはさぁ、これまでの功績《こうせき》が認められて勇者に叙勲《じょくん》されるんだってよ。あたりきしゃりき、きらびやかな社交界なんかにもデビューしちゃったりするんだけど。いやぁ、よかったぜ。おまえみたいな不細工《ぶさいく》――気味の悪い白髪お化けなんて、お貴族様の前には連れていけないもんなぁ！」

と、悪意たっぷりに言い放つ。

違いない！　とか、あひゃひゃひゃ！　とか、品のない追従《ついしょう》がメンバーたちからもわき起こる。

白い髪に、赤い瞳。

物珍しいエイダの容姿《ようし》を、彼らはことあるごとに物笑いの種としてきた。

恩義があった。

大切な仲間だと思っていた。

だからどんなに過酷な環境でも歯を食いしばり、粉骨砕身《ふんこつさいしん》、尽くす覚悟で歩んできた。

けれど。

「……なんだ？　まだいたのか。早く出てけよ」

そう思っていたのは、どうやらエイダだけだったらしい。

彼らはこれから貴族と繋がり、甘い汁をたんまりと吸っていく。

その恩恵《おんけい》を、わずかなりともエイダに分け与えることすら、絶対に嫌だと考えている。

彼女を蔑《さげす》み、奴隷《どれい》のようなものだと認識しているからだ。

であるなら、何を言っても聞き入れてはもらえないだろう。

ならば。

「……これ、置いていきます」

「なんだよ、それ」

「団長の、鼻炎の薬です。調合した分が、まだあったので」

「ふん……」

「では、えっと……これまで、本当にお世話になりました！　ありがとうございます！」

顔を上げ、気丈《きじょう》に微笑《ほほえ》んで。

……そうして、エイダ・エーデルワイスは、パーティーから追放されたのだった。

ドベルクたち烈火団は、まだ知らない。

知るよしもない。

自分たちの活躍が、どれほどエイダに依存《いぞん》していたのかを。

そして、ついぞ彼らには理解できなかった〝応急手当〟が、今後世界をどう変えていくのかを。

そのことを理解したとき、彼らは心底から悔《く》い改《あらた》めることになるのである――

§§

「おまえが人助けをしたいと思うのなら、いつも笑顔でいなさい。でなければ、それは――」

遠い過日《つかのひ》。

大怪我を負った弟の治療に明け暮れていた頃、実の父親から聞かされた言葉が、エイダの脳内でよみがえる。

自分を捨てた父親の顔を、それでも彼女は、尊敬《そんけい》の念とともに思い出す。

「どうしたものですかね。どうしたものでしょうか」

烈火団を追い出され、途方に暮れた彼女は、寒々《さむざむ》とした王都の町並みを歩いていた。

道行く人々は誰もが冬支度《ふゆじたく》を済《す》ませていて、みすぼらしい格好をしているのは、質素《しっそ》な暮らしを続けてきたエイダだけ。

「うう、寒いですね……」

服の前を合わせて両腕で身体を抱くが、薄布《うすぬの》一枚だと大差はない。

気を抜けばつきそうになるため息。それをぐっと飲み込んで、今後のことを考える。

金銭の貯蓄ができるようなパーティー環境ではなかった。

自分の支度を調えるより、仲間たちの栄養バランスを考えるほうが重要だったからだ。

なので、懐事情に余裕はない。

かろうじて、母親の形見である指輪を持ってはいるが、質屋《しちや》に入れたところで買いたたかれることなど目に見えている。

何せ現状、エイダには身分も後ろ盾もないのだから。

烈火団は、ここ三年ほどで頭角を現した、今最も勢いのある冒険者パーティーだ。

そこから〝追い出された〟という事実は、村社会的な冒険者界隈において致命的な瑕疵《かし》となる。

具体的には、誰もが忌避して雇ってはくれないだろうし、明日には共助組合《ギルド》にことの顚末《てんまつ》が張り出されていることだろう。

ギルドとは情報発信拠点《そういうもの》なのだ。

だから今のエイダは、浮浪者《ふろうしゃ》と何も変わらなかった。

「となると、冒険者の立場と関係がない働き口を探すべきでしょうか。できれば、人助けで食べていける仕事が、一番なのですが」

そんなあては、今のところない。

商業ギルドや、回復術士を束《たば》ねる教会に多少のコネはあるが、それも悪評《あくひょう》が先行すれば消し飛ぶだろう。

ある意味で、詰《つ》んでいる状況だった。

「うーん。最悪、身を売って生活する、というのも考えはしますが……」

誰が好き好んで、こんな白髪頭を抱いてくれるだろうかと、エイダは首をひねる。

少なくとも、パーティー……元パーティーメンバーからは、醜女《しこめ》だと言い続けられてきたのだから。

「私は、人助けをして生きていきたいです。だから冒険者というのはうってつけでした。しかし……今さらそんな都合のいい働き口、他にあるわけもありません。難しい、難しいですね……っと!?」

捨《す》て鉢《ばち》になった彼女が、お手上げとばかりに両手を空へと突き出したとき——一陣《いちじん》の風が吹いた。

そうして飛ばされてきたのだろう。

一枚の紙切れが吸い付くようにして、彼女の顔へと張り付いたのである。

「わっぷ⁉　な、なんですか、これ？」

それは、どうやら求人の広告らしかった。

それも、人材を急募《きゅうぼ》する類《たぐ》いのもので——

「えっと、なになに？『求む回復術士！　対魔族戦線《たいまぞくせんせん》にて後方勤務《こうほうきんむ》あり。欲《ほっ》するは危難《きなん》の戦場にて傷病兵《しょうびょうへい》を救う慈愛《じあい》と、激務《げきむ》に耐えうる健全な肉体、および献身。治療を行える者には即日、特例《とくれい》的軍属待遇《てきぐんぞくたいぐう》（下士官相応の給与、権利、三食付き）を保障《ほしょう》。身分による貴賤《きせん》なし。国家の礎《いしずえ》たる兵士を救う名誉《めいよ》のみあり。なお、最前線勤務を希望する者には、生還ののちささやかなる誉《ほま》れと報償《ほうしょう》を与える』……こ、これは！」

わなわなと震えながら広告を凝視するエイダ。

おりしも時代は戦乱の世。

人類の安寧《あんねい》を脅かす魔族が、北方《ほっぽう》から攻め込んできている時勢《じせい》である。

被害の少ないところでは、冒険者たちが遊撃《ゆうげき》し討伐を繰り返しているが、その勢いは衰《おとろ》えることを知らない。

北方守護の要《かなめ》たる辺境伯《へんきょうはく》の領地《りょうち》では、国防軍《こくぼうぐん》だけでなく志願兵までをも全面投入した激戦が繰り広げられているという。

求む!! 回復術師

つまるところ、そんな兵士たちの傷を癒やせる回復術士を、軍は心底欲しているのだ。

そう、冒険者として放逐されたエイダ・エーデルワイスにとって、人を助けてご飯にありつけるこの職業は。

「なんて、なんて天職なんでしょうか……！」

――またとない、絶好の再就職先であった。

このようにして満面の笑みを浮かべたエイダは、最寄りの募兵《ぼへい》事務所へと詳しい話を聞くため走り出す。


そして、ひと月後。

「なにゆえこうなりましたか⁉」

彼女は、軍用魔術飛び交《か》う最前線の塹壕《ざんごう》で、現世に降臨した地獄を見つめていたのだった。

§§

汎人類連合軍陸軍人事課《はんじんるいれんごうぐんりくぐんじんじか》のヨシュア中佐は、レイン戦線後方に位置する野戦病院を訪《おとず》れていた。

使われなくなって久《ひさ》しい古城を、急遽改築《きゅうきょかいちく》した病院である。

激戦区たるレインでは、戦闘員、非戦闘員を問わず怪我人が多く、その治療に当たる回復術士も多大な疲労から消耗を極めていた。

交替要員は常に不足しており。

彼は現場からの声に応《こた》える形で、ようやくかき集めることができた軍属待遇の回復術士たちを引率してきたのである。

「――ふむ」

眼鏡の中佐《ヨシュア》は鷲鼻《わしばな》にハンカチを押し当て、耐えがたい苦痛に晒《さら》されているが如く、顔をしかめた。

回復術士たちの多くも、同じような表情を浮かべている。

レイン戦線といえば、日夜驟雨《しゅうう》の如く戦術魔術が降り注ぐ剣林弾雨《けんりんだんう》の戦場だ。

だからこそ〝雨《レイン》〟戦線と呼称されているなどと、まことしやかな噂《うわさ》もあるが、後方ともなればさすがに危険は少ない。

精々が遠くで、遠雷《えんらい》のような爆裂魔術の音色が響く程度である。

負傷兵《ふしょうへい》が一挙《いっきょ》に収容《しゅうよう》される場所なのだから、そうでなくてはならないのだ。

安全こそ、何物にも勝る薬であることを、ヨシュアは心得ていた。

聖女といわずとも、回復術士。その存在は貴重である。

人類全体で見ても、傷を癒やす魔術特性を生まれつき有《ゆう》する者は、1%に満たない。

国家の至宝《しほう》たる術士たちは、安全が担保《たんぽ》された後方でこそ活用する。

これが軍隊の常《つね》、積み重ねられた知恵であり定石だった。

――そう、ここは安全な場所なのだ。

ヨシュアは内心で何度も繰り返す。

安全。

戦場は遠い。

傷病兵を癒やす場所なのだから、当然に。

だが。

「惨《むご》い……」

ぽつりと、誰かがこぼす。

耐えきれなくなって、不意に口をついて出たような声音だった。

失言の類いであるが、ヨシュアはことさら咎めようとはしない。

事実、全ては残酷《ざんこく》と表現するしかなかった。

辺《あた》り一面に漂《ただよ》う臭気は悪辣《あくらつ》。

嗅《か》ぎ続ければ泥濘《でいねい》の底からムクリと起き上がり、病に爛《ただ》れた腕を絡みつかせ、奈落へと引きずり込もうとするかのような死の臭いだ。

山と積み上げられ、無数のハエにたかられているのは、埋葬《まいそう》すら許されぬ、昨日今日死んでいった勇敢《ゆうかん》なる戦士たちの骸《むくろ》。

野戦病院に運ばれて、それでも生きられなかった命のなれの果て。

いかに血や骨を見慣れた回復術士たちでも、この光景は凄惨《せいさん》に映った。

腐汁《ふじる》と傷《いた》んだ血液の臭いにえずく者も多い。

当たり前かと、ヨシュアはひとり納得する。

しかし。

彼はそこで、「おや？」と首をかしげることになった。

白い――潔《しろ》い髪に紅《あか》い眼の、まだ少女といって差し支えのない年齢の回復術士が、物怖《ものお》じもせず、ジッと屍《しかばね》の山を見つめていたからだ。

はじめは、恐ろしくて逆に目がそらせないのかと考えた。

だが違う。

紅玉《こうぎょく》とも、固体となった焔《ほのお》とも呼び表すことができそうな彼女の瞳は、この場の誰よりも冷静に、しかし空恐《そらおそ》ろしいほどの情熱を帯びて、観察を続けているのだ。

ややあって。

その少女は、やおらまっすぐにヨシュアを見据《みす》えると。

ピンと手を伸ばし、挙手《きょしゅ》をしてみせた。

「僭越《せんえつ》ながら中佐殿、質問をよろしいでしょうか」

さもしい格好をしているが、よくよく見れば造作《ぞうさく》の整った娘である。

髪の毛や瞳の色こそ特殊だが、貴族に連なる者だと言われても頷いてしまうような気品《きひん》――凄《すご》みのようなものがヨシュアには感じられた。

一般人が、後方勤務《じむかた》とはいえ中佐に意見する。

その奇異《きい》さ、臆《おく》することない少女の様子にヨシュアは興味を覚え、発言を許可した。

すると彼女は、凛々《りり》しい笑みとなって、奇妙な問いを投げてきた。

「ありがとうございます。では……野戦病院というのは、どこも〝こう〟なのですか？」

「こう、というのは」

質問の意図をはかりかねて訊ね返せば――赤々と瞳に気炎を宿す少女の前では、ベテランの人事課員であるヨシュアですら、知らぬ間に主導権を握られてしまっていた――白い娘が決然《けつぜん》と言い放つ。

「このような、無法《むほう》がまかり通っているのか、という意味です」

無法。

たしかに無法だ。

野垂《のた》れ死《じ》んでも惜《お》しくない民間の冒険者ならともかく、国家に奉仕《ほうし》する兵士の亡骸《なきがら》が積み上げられているというのは、ゆゆしき事態《じたい》である。

広く公表されれば戦意低調に繋がるだろうと、各種ギルド付きの従軍記者など、出入り禁止になっているほどだ。

無法、無体《むたい》。

それはヨシュアにもよくわかる。

わかるのだが……

「しかし、君。戦場というのは、どこもこういうものだよ」

そうとしか返答のしようがない。

魔族と人類の戦線は、年々拡大を続ける一途《いっと》で、激戦区ともなれば命を捨てて拠点《きょてん》を奪い、そして奪い返されるということの連続なのだ。

死者の山は毎日のようにできあがる。

それが戦争だ。

死人の多寡《たか》程度に異議《いぎ》を唱えるなど、お笑いぐさだとすら言える。

だというのに。

そんなことは百も承知だという顔で、少女は野戦病院を睨《にら》みつけている。

ほかの回復術士たちが口もきけないような惨状《さんじょう》でなお、親の敵《かたき》でも前にしたかのような形相《ぎょうそう》を浮かべて。

「では、院内の説明をお願いできますか」

「説明……あー、君は」

「エイダ・エーデルワイスです。本日付けで軍属となりますので、高等官待遇《こうとうかんたいぐう》を拝命《はいめい》します」

「……エーデルワイス高等官。正直に言えば我々は、君が何をそこまで問題視しているのか、見当もつかないのだ」

「何を、ですって？」

「……っ」

ゴクリと、ヨシュアは唾《つば》を飲み込んだ。

立場でいえば、彼はエイダの上官に当たる。

エイダは軍属であって、軍人ではない。それでも、命令系統としてはヨシュアが上だ。

にもかかわらず、臆したのは彼のほうだった。

それだけの威風《いふう》を、ヨシュアは白い少女から感じ取ったのである。

「では、内部を見せてください」

許可を求めるなり、エイダはずんずんと院内へ踏み入り、あちらこちらを見て回った。

そこではかろうじて生き存《なが》らえている兵士たちが、聖女や回復術士たちによって傷の治療を施されている。

少女はそれらを子細《しさい》に、ひとつひとつを脳裏《のうり》に刻むように凝視し。

やがて、ぶつぶつと、

「使い回し前提の包帯……消毒のできていない医療器具……血にまみれたシーツ……山積みの遺体、逆流する下水施設……これは、これでは助かるものも助からない……」

周囲の誰にも理解できない、意味不明な呪文のような言葉をつぶやき。

突如顔を跳ね上げると、ヨシュアを見つめた。

「中佐殿！」

「今度は何かね？」

「私を」

そして彼女は。

のちに、戦場の天使と呼ばれることになる少女は、突拍子《とっぴょうし》もない、蛮勇《ばんゆう》にも似た、断固《だんこ》たる決意を口にするのだった。

「私を、最前線にて勤務させてください！」

§§

「この野戦病院で、命を助けることは難しいでしょう」

戦場に赴《おもむ》いて、エイダが最初に理解したことはそれだった。

命に対して、彼女は思うところが多分にある。

幼い日のことだ。

彼女の弟が、屋根から落ちて大怪我を負った。

弟は聖女にすら見放され、エイダだけが看病を続けた。

幸いにしてエイダの実家には個人図書館があり、そこで多くの——一般では知られていないような知識を身につけることができた。

包帯の巻き方、リンパ液の滲《にじ》む傷口に対する適切な処置、折れた骨の接合《せつごう》……エトセトラ、エトセトラ。

毎日、弟の包帯を取り替え、軟膏《なんこう》を塗《ぬ》り、片時も側《そば》を離れず医療に関わる知識を実践《じっせん》し続けた結果、エイダは意図せぬうちに秘された知識の実践者となっていった。

やがて、実家からは放逐されてしまったが……そのときの経験は今も血肉《ちにく》となって、少女の中で活きている。

誰かを助けることができたときの喜び。

それが心の深い部分に、澪標《はしら》の如く突き立っているのだ。

だから今、少女は何より冷徹に判断をくだせた。

「あの環境では、傷の治療などできません」

したところで、ろくな効果を上げられない。

野戦病院には、決定的に無理解が蔓延《まんえん》していたからだ。

エイダは自分の知識が、世間からすれば一般的なものではないことに、このとき初めて気がついた。

事実として、同期の回復術士や、先輩の軍属たち。

その誰もが、エイダの真意を捉《とら》えきれないでいる。

「最前線への配属——転属願は承《うけたまわ》る。だが、今すぐというわけにはいかないし、しばらくはこの場で実地経験《じっちけいけん》を積んでもらう必要がある」

そんなヨシュア中佐の言葉には、見当違いな過保護さすら滲んでいた。

戦場の厳しさを知らない小娘に、少しばかり現実を見せてやろうという親切な大人の配慮。

しかし、エイダは暗愚《あんぐ》な少女ではない。

軍に仕《つか》える彼が、一存をもって国家の宝たる回復術士を最前線へ投入する。

そんなことはできないと、よくよく理解していた。

ゆえに、言葉を重ねる。

「ですが中佐殿。たしかに最前線は人手《ひとで》を欲しているはずです。何より私は、体力や自己回復力を高める程度の、局地的回復術《コ・ヒール》を使うのがやっと。後方で足手まといになるくらいなら、戦野《せんや》で使い潰すほうがよほど有意義ではないでしょうか？」

「う、むぅ……」

最終的に、エイダの言い分は認められた。

それでも数日間、彼女は野戦病院で研修《けんしゅう》を受けた。

軍紀《ぐんき》に則《のっと》り、ヨシュアのメンツを立て、何よりも彼の気遣いを無駄にしないためだ。

少女はよく働いた。

「頑張りすぎじゃないかい、エーデルワイスさん？」

「休んだっていいのよ、あたしたちがいるわ」

「回復術士は特権階級《とっけんかいきゅう》。そこまで尽くす必要は……」

同僚たちの温かい言葉に、エイダは笑顔でこう答える。

「ありがとうございます。ですが、このぐらいは慣れていますから！」

強がりや皮肉の類いではない。

烈火団に在籍していた頃は、この数倍に値する激務をこなしていたのだ。

だから、本気でなんのことはなかった。

ただ、命というナイーブなものを扱《あつか》う以上、精神は否応《いやおう》なくすり切れていく。

目の前でひとり、またひとりと、事切《こと き》れていく兵士たち。

一方で、なんとか一命を取り留め、回復術を受けて戦場へ戻っていく者たちもいる。

「……ここに辿《たど》り着ける人は、それだけでマシなのですね」

三日も過ぎた頃には、エイダの知見《ち けん》は大きく広がっていた。

野戦病院――その環境をなんとかするには、独力《どくりょく》ではどうにもならないと悟ったのだ。

包帯や医療器具といった資材は明らかに不足しているし、そもそも重要視されていない。

衛生状況も最悪だ。

同僚たちに意見を聞いても、

「これが普通じゃない？　戦場は、命が落ちていく場所だよ」

という反応が関《せき》の山《やま》。

無理解。

根本的なスタンスの違い。

それを痛感《つうかん》するたび、エイダの中では日増しに強くなる思いがあった。

「私は、この状況を変えたいです。でないと、この仕事を選んだことを後悔してしまいそうだから。

笑顔を、忘れてしまいそうだから」

改革《かいかく》の方法は考えていたが、一朝一夕《いっちょういっせき》でなんとかなる妙案《みょうあん》となれば浮かばない。

自分の声を、軍上層部にまで届ける手段となれば限られてくる。

当然、現場でいくら愚痴をこぼしていても、何かを変えることなどできるわけがない。

ならば、泥臭《どろくさ》くとも足掻《あが》くしかないのだ。

目に見える実績《じっせき》を。

相互に理解できるわかりやすい結果を上げなければ、対話すらままならないということを、彼女はパーティー追放という経験から強く学んでいた。

「必要なのは段階です。同じ視座です。ゆえにこそ、私は一度、〝最悪〟を経験する必要がある」

やがて、その日はやってきた。

「エイダ・エーデルワイス高等官。貴官《きかん》を本日付けで、２２３独立特務連隊《どくりつとくむれんたい》へ配属する。以降、レイン戦線最前線にて奮励努力《ふんれいどりょく》することを望む」

「拝命いたしました！」

辞令《じれい》を受けた彼女は、見よう見まねの敬礼をいささか不格好に決めて、その足で最前線へと向かった。

そうして半日後――

「ようこそエーデルワイス高等官。歓迎しよう」

金髪碧眼《きんぱつへきがん》。

長くとがった耳に、あらゆる無駄を削《そ》ぎ落とし、なお強靱《きょうじん》な体躯《たいく》を誇る美貌《びぼう》の亜人種《あじんしゅ》。

鉄火《てっか》が舞い散る中にありながら、煤《すす》けたダークグリーンの軍服をピシリと着こなし、弓矢を腰に、折りたたみ式のスコップを肩へ担《かつ》いだ長身の女エルフが、エイダへと向かって答礼《とうれい》する。

平時ならば麗《うるわ》しい声音も、戦火《せんか》の中ではかき消されまいと張り上げられて、相手をすくませる鋭《えい》利《り》な武器となっていた。

美貌のエルフは、重ねて豊かな声を張る。

「私はレーア・レヴトゲン特務大尉《とくむたいい》。同胞《どうほう》たちの権利を守るため、亜人混成《こんせい》部隊２２３独立特務連隊を率いる連隊長にして貴様の上官だ」

「は、はじめまして、レヴトゲン特務大尉殿！　私は――」

「喜べ、エーデルワイス高等官」

エイダが来訪の目的を告げるよりも早く。

彼女は。

レーア・レヴトゲンは、怨嗟《えんさ》を愉悦《ゆえつ》するような黒々しい笑みを湛《たた》え、三度声を上げた。

「ここは地獄の釜の底の底！　傷病兵などほら――掃《は》いて捨てるほどそのへんに転がっているぞ！」

レーアが広げた両手の後ろ、ふたりの背後にて火炎魔術が爆発を起こす。

広がる噴煙《ふんえん》が晴れた先にあったのは、最悪の様相《ようそう》を呈《てい》した戦場。

そう、この世で最も過酷な、本物の征野。

無数の骸が転がり、今にも息絶えそうな人類たちが救いを求めてうめき声を上げる阿鼻叫喚大地獄《あびきょうかんだいじごく》。

言葉を失うエイダに向かって、美しく悍《おぞ》ましいエルフは、愉《たの》しそうに告げるのだった。

「では始めてもらおうか、命の選定《せんてい》を。優先順位《トリアージ》の時間だ！」

§§

かねてより人類は、北方から攻め寄せる魔族の大群勢によって、一度ならず絶滅の危機に晒されてきた。

しかし、そのたびに英雄、あるいは勇者と呼ばれる存在を旗印とすることで団結し、魔王軍を撃退してきた。

そうして今、稀代《きだい》の名君たる人類王を抱くことで、各国の王や諸侯が結束。

全人類による空前絶後の一大魔族反抗勢力——汎人類軍が組織されるに至った。

「この長い戦いの中で、戦術というのは幾度《いくど》も見直されてきた。かの南方イルパーラル戦線では、未《いま》だに騎士と魔族が直接正面から激突しているらしいが……ここ、レイン戦線では違う。塹壕だ。縦横無尽《じゅうおうむじん》と走る塹壕の奪い合いこそ、この戦場の本質だ」

そのようなことを語りながら、彼女——エルフの特務大尉レーア・レヴトゲンは、スコップで泥濘《ヘドロ》のような地面を掘り起こし、頭上へと土塊を投げ捨てる。

積み上げられた土は深い溝を作り、ちょうど人がひとり立てるかどうかという高さの壁となった。

そんなものが、右にも左にも、ぐねぐねと蛇行《だこう》しながら、延々《えんえん》と彼方《かなた》まで続いている。

「これだ。これが塹壕だ。東西に延びるネズミのねぐらにも劣《おと》る戦線を走り回り、顔を出した間抜けを撃ち殺すのが我々の仕事だ。おっと失礼、お嬢《レディ》さん。あなたは命を救うのが仕事でしたか。そうそう、風の噂に聞いたところでは、無能と誹《そし》られパーティーを追われたとか……そんなお嬢さんに、過酷な戦場勤《づと》めが務《つと》まりますかな？」

「…………」

「ほぅ！」

試《ため》すような嫌味にも動じず、無言で挙手をするエイダを見て、レーアは口の端を歪める。

尋常《じんじょう》な兵士ですら半時《はんとき》とせずに音を上げるこの戦場で、少女の瞳に燃える焔は、未だひとつも陰《かげ》っていなかったからだ。

使える、と。

レーアの直感が告げていた。

「よろしい。質問を許可しよう」

「レヴトゲン特務大尉殿、私は」

「兵士の治療に来た、と言うのだろう？　結構なことだ。如何《いか》に精強《せいきょう》なる我らが連隊といえども、日増しに戦死者は増える一方。妖精の手も借りたいというのが本音だとも」

それは、回復術士なら誰でもいい、誰がやっても仕事は変わらないと仄《ほの》めかしているに過ぎない。

エイダにしても、それが事実であることを、否応なく痛感していた。

「見えるかね、お嬢さん。ここから三つ先の塹壕。あれは――くそったれた死で飽和《ほうわ》する、現世に堕《お》ちてきた地獄だ」

渡された双眼鏡《そうがんきょう》をのぞき込み、エイダは唇を噛む。

術式で拡張されたふたつの丸い視界。

その内側。

敵方《てきかた》の塹壕を奪取《だっしゅ》しようと攻め入った味方の兵士が、連続十字火砲魔術《クロスファイヤーシークエンス》を受けてバッタバッタと倒れていく。

なかには手足が吹き飛び、存在しない眼球を探して地面を這《は》いずり回っている者もいた。

エルフは嗤《わら》う、どうだここはいかにもマシだろうと。

「────ッ」

もはや、少女には一刻《いっこく》の我慢もならなかった。

今すぐ塹壕を飛び出して、傷を負った者たちに手を差し伸べたい。

苦しんでいる人々を無視するなどもってのほかだ。

逼迫《ひっぱく》した使命感が、彼女を突き動かそうとせっつく。

呼吸は乱れ、心臓が逸《はや》り、拍動《はくどう》が鼓膜を殴りつけるように揺らす。

だが、歯を食いしばって耐えた。

大きく、深呼吸。

無策《むさく》で塹壕を飛び出す前に、どうしても確認しなくてはならないことがあったからだ。

エイダは上官へと向き直り、問い掛ける。

「ふたつ、率直《そっちょく》にお聞きします」

「いいとも。同胞らの命をすりつぶして得た貴重な説明会《イントロダクション》だ。悠長《ゆうちょう》な会話を楽しみたいのなら、この場で手に入る最高級の珈琲《コーヒー》を御馳走《ごちそう》しようか？　無論、代替品でもよいのならば、だが」

「いいえ、無用です。……ひとつ、どうして倒れている兵士が、みんな亜人なのですか？」

「ふむ。なかなかどうして……聡《さと》いじゃないか」

少女の問いに、レーアは感嘆《かんたん》をもって応じた。

「目もいい。ならばむしろ、舌先三寸《したさきさんずん》の茶会を楽しむことも悪くないが……兵は拙速《せっそく》を尊《たっと》ぶという。判断の速さは美徳《びとく》だ。答えよう、答えるとも。それは我々が、混成部隊とは名ばかりの、亜人だけで構成された決死隊《けっしたい》だからだよ」

２２３独立特務連隊。

その名こそ誇大《こだい》なまでに勇壮《ゆうそう》ではあったが、実際のところレーアが率いているのは、人類からつまはじきにされた者たちの寄せ集めでしかなかった。

世の霊長《れいちょう》たるヒト種。

そして、ヒト種を脅かす魔族。

その中間には、無数の亜人種が存在する。

ドワーフ、ハーフリング、オーガ、獣人、そしてエルフ。

彼らは亜人種《デミ》と呼ばれ、古くは魔族――魔王の手先とされていた。

「しかし時代が下るにつれ、我々の先祖はヒト種に寄り添《そ》って暮らすようになった。もっとも、貴様らヒト種は我々を家畜《かちく》と変わらぬように思っていたが……今は戦時《せんじ》だ。言っただろう、妖精の手も借りたいと」

亜人は、最も安価で痛手《いたで》を被《こうむ》らない使い捨ての兵隊だった。

その事実は、人類王という名君の治政でも変わらない。

ヒト種は汎人類連合の名のもとに、彼らを徴兵《ちょうへい》したのである。

「だが――我々は志願兵《しがんへい》だ」

「……戦場に無理矢理連れてこられたわけではないと？」

「魔族にもエルフがいる。オーガもドワーフも、トロールなども魔族の尖兵《せんぺい》だ」

「同胞同士で戦うんですか？」

「ハッ！」

レーアは鼻で笑い飛ばす。

同胞という言葉の定義をせせら笑う。

「我々の同胞は、人類とともに歩む者たちだ。今日明日にもその人類に権利を、土地を、仕事を奪われ、生きていくことすらままならない家族たちだ。彼らを守るためにはどうしたらいい？　どうすれば人類に我々の有用性をアピールできる？　それだけを考えて、今ここに立っている」

「だから、軍隊に志願を……」

「そうだ。賢いぞお嬢さん。我々が命を賭《と》して国を守れば、ヒト種は権利を保障すると誓った。口約束に過ぎないものだが……見るがいい、私には特務大尉――中佐相当の権限が与えられている。

これは、軍部で夢物語をさえずれる程度の地位と名誉だ」

冗談や酔狂《すいきょう》で与えられるものではないよと、彼女は断言した。

エイダもこれに同意する。

そう、この女性ならば、申し分がない。

実績を示し、エイダが望むように病院を改革するための足がかりとして、話をつけるのに妥当であると。

だからこそ真意を確かめるために、言葉を継《つ》ぐ。

「ふたつ目の質問はそれです。ここで傷ついているのは特務大尉の大事なお仲間ですよね？　その命に優先順位をつけろとは、どういう意味ですか？」

「……字義《じぎ》のとおりだ、お嬢さん」

不意《ふい》に笑みを消したレーアは、目つきを鋭くして言い放つ。

「野戦病院から直接来たのだったな。どのぐらいかかった？」

「それは、半日ほど――」

「半日！　そう半日だ！　魔術で強化した馬ならばもう幾ばくかは速いだろうが、半日！」

レーアは大声を張り上げ、両手を強く振ってみせる。

それは苛立ちという感情の発露《はつろ》だったが、彼女の口元にはまた、いつの間にか酷薄《こくはく》な笑みが張り付いていた。

ぐいっと少女に顔を近づけ、エルフは吠《ほ》える。

「いいか、解らないとは言わせないぞお嬢さん？　半日もの間、腕のもげた人間が生きていられるか？　土手《どて》っ腹《ぱら》に穴が開き、爆傷《ばくしょう》を負った人間が、どうやって生存する？　凍傷で指が取れ、落雷で末端《まったん》が炭化《たんか》する。刺傷《ししょう》は絶《た》えず、裂傷《れっしょう》すら日常だ。我々は精鋭《せいえい》だが、死人まで後送《こうそう》するほどの余力を持たない。殺すための兵隊であって、救うための兵隊ではない！　いいか、レディ！　塹壕に無神論者はいない！　我らは敬虔に〝そうあれかし〟と叫ぶ、〝いつまでも戦《あ》い続けられますように《かし》〟と！」

だから、確実に生きて戻れる仲間だけを救わねばならぬのだと、レーアは拳を握って断言する。

彼女が力説する間にも、戦場では魔術が飛び交い、あちらでは爆発が起き、こちらでは氷の柱が立って、土煙が、黒煙が、もうもうとたちこめていく。

無数の命が、今この瞬間にも傷ついている。

救える命には限りがあると、レーアは言う。

エイダにしても、考えなしに反駁《はんばく》するつもりはない。

だが。

「お言葉ですが、レヴトゲン特務大尉殿」

「……なんだね、お嬢さん」

「私は、特務大尉殿が想定《そうてい》しているよりも、多くの友兵《ゆうへい》を助けることができると考えます」

「それは、なぜだ？」

美貌のエルフが問い掛けたとき、一層激しい爆発が地面を抉《えぐ》った。

破砕《はさい》され、凶悪な威力をもって四散《しさん》する飛礫《はへん》のひとつが、少女の頬をかすめ、一条の傷をつける。

滲む血液。

されどエイダは瞬《まばた》きひとつせず、まっすぐに上官を見据え。

レーアとは異なる、覚悟に彩《いろど》られた強い笑みをもって応えてみせた。

「私には、応急手当の心得があるからです」

§§

「ぎぃゃあああああああああああああああああ――っ‼」

一時《いっとき》も止《や》まない戦火の騒音を縫《ぬ》って、野太い絶叫が曇天《どんてん》へと突き抜けていく。

飛び交う攻勢魔術の下、白い少女の髪が血に染まっていた。

「叫ぶだけ叫びなさい！　そのほうが痛みをごまかせますから」

「そ、そんな、ふざけて」

「大真面目です！」

泣き叫んでいるのは屈強《くっきょう》なオーガの兵士だった。

彼の右腕は、半《なか》ばから失われている。

そのちぎれた腕に細いロープを巻き付け、エイダは思いっ切り引き絞った。

「あぎいいいいいいいいいいい⁉」

再び上がる絶叫。

しかし少女は意《い》に介《かい》することなく、傷口よりも脇に近い部分――太い血管が通っている部位を締め上げ圧迫し、重ねて縛《しば》り付けていく。

「こ――この拷問《ごうもん》になんの意味が」

「拷問ではありません。応急手当です。そしてこれは、止血！」

「そんなもの聞いたこともな――痛テェエエエエエエエエエ⁉」

「血の一滴は命の一秒と心得てください！　はい施術《せじゅつ》終了！」

三度念入りに縛り付け――オーガは泡を吹いて白目を剥《む》いた――彼女は満足げに額の汗を拭《ぬぐ》った。

それから、自分の倍ほどもあるオーガの脱力した巨体をむんずと抱え上げると、ズリズリと泥濘《でいねい》の上を引きずりながら、塹壕へと運んでいく。

「素晴らしい……！　素晴らしいぞお嬢さん！」

待ち受けていたレーア・レヴトゲン特務大尉は、喝采《かっさい》をもって少女を迎《むか》える。

最前線から少し下がった塹壕。

そこには、少女が戦地から救出してきた無数の負傷兵たちが転がされていた。

奇妙な光景である。

ほとんどの者が、何もしなければ落命《らくめい》しても不思議ではない重傷であるのだが、彼らは痛みにうめき声を上げはしても、急速に症状を悪化させ、ショック死する者などは見えない。

「これが応急手当か！」

「はい！」

悪魔のような笑みを浮かべ理解を示した上官に、少女もまた満面の笑みを返す。

そう、エイダが行っていたのは、かつての仲間たちに無意味と罵られた医療処置――応急手当だった。

独学《どくがく》と実践によって練り上げられた知識と技術が、冒険者としての経験を経《へ》て独自に昇華《しょうか》されたもの。

賢者たちが魔術文明の裏で隠匿《いんとく》し受け継いできた、無数の未分化《みぶんか》な技術体系。

その最も重要な部分を抜粋《ばっすい》し、あらゆる状況下での傷病者に即応《そくおう》できる、彼女だけが保《も》ちうる技能。

それこそが、応急手当。

「そらお嬢さん、またひとり吹き飛んだぞ」

「行《ゆ》きます」

塹壕から軽やかに飛び出す少女に、恐怖の色はない。

当然の話だった。

彼女は仮にも、勇者の栄誉《えいよ》を受ける冒険者たちとともに、恐ろしい魔族と戦ってきた歴戦の強者《つわもの》なのだ。

度胸も、体力も、常人の比ではない。

「私の声が聞こえますか？　ここがどこだか解りますか？」

ドワーフの兵士へと駆け寄るなり、エイダは声をかけ、まだ無事な彼の右手首を握った。

しかしすぐ、エイダの表情が歪む。

判断は即座。

彼女はドワーフを担ぎ上げると、塹壕へと走る。

「どうしたお嬢さん」

「どうでもいいのですが、私はもうお嬢さんという歳ではありません」

「失礼、エーデルワイス高等官。そいつは助けないのか？」

頭上を通過していく火球を避けて、塹壕に沈み込んだエイダとドワーフ。

これを見て、レーアは試すような物言いをする。

対してエイダは、どこまでも冷静に対応を反芻《はんすう》。

「応急手当の第一は〝意識確認〟、呼び掛けです。声をかけて、対象の意識があるかを知ることから始まります。呼吸の有無も解りますし」

「そいつ――ダーレフ伍長《ごちょう》はどうだ」

「意識はありません。そして」

彼女は、ドワーフの分厚い胸板に耳を当てる。

「拍動がなく」

ついで口元に顔を寄せて、

「自発呼吸が見られない」

レーアが頷いた。

「つまり。死んでいるだろ、これは」

「いいえ、あくまで心臓が止まっているだけです」

それを死んでいると言うんじゃないのか？

と、レーアは首をかしげかけたが、黙って話を聞く。

「外部から強い衝撃を受けて、そのショックで鼓動が停止しているわけですね。なので、まずは顎を持ち上げ、沈み込んだ舌を浮かし、気道を確保します」

「ふむ……助ける余地《よち》があると？」

エイダは、ドワーフの閉じていた瞼《まぶた》を無理矢理に開く。

「瞳孔《どうこう》の収縮《しゅうしゅく》が確認できました。つまり、可能です」

「具体的には？」

「心肺蘇生術を試《こころ》みます」

「それは、どういった意味の――」

訊ねかけて、秀麗《しゅうれい》なエルフの顔に驚きが走った。

エイダが。

見目麗《みめうるわ》しい少女が――亜人からすれば髪の色も眼の色も気にならない――ためらいもなく厳《いかめ》しい髭面《ひげづら》の、泥と血にまみれたドワーフへと口づけたからだ。

「エーデルワイス高等官。死者を愚弄《ぐろう》する趣味は控《ひか》えてほしい！」

「命を生かすためなら、尊厳《そんげん》の愚弄がなんですか！」

叫ぶなり、エイダは両手を組んで拳を作り、そこに局地的回復術《コ・ヒール》を発動。そのままドワーフの胸部中央、やや左寄りへと叩きつけた。

「貴様！」

「おまえ、何をやって！」

「ダーレフ！」

周囲にいた、まだ余裕のあった兵士たちが、次々に立ち上がりエイダを怒鳴《どな》りつける。

戦友は、彼らにとって何よりも大切だったからだ。

されど、少女は止まらない。

またドワーフへと口づけし、そして胸を殴る。

正しくは殴るような強さで、全体重をかけて、何度も何度も繰り返し胸郭《きょうかく》への圧迫を試みる。

間断なく正確に、強く、強く。

「いい加減に……！」

「待て、クリシュ准尉《じゅんい》。見ろ」

クリシュと呼ばれたハーフリングの青年がエイダに殴りかかろうとしたところを、エルフの特務大尉は肩を掴《つか》んで止めた。

「げ、げぶっ」

ドワーフの口から、血混じりの唾が飛び出したからだ。

同時に、今の今まで動きもしなかった胸が、緩《ゆる》やかに上下を始める。

――呼吸が、再開したのだ。

「胸骨圧迫術《心臓マッサージ》。強靱なドワーフの胸郭へ圧力をかけるには、乱暴な施術が必要でした」

「信じられない……」

クリシュは大きく目を見開く。

呆然と開いた彼の口から、自然と言葉がこぼれ落ちた。

「――奇跡だ」

「いいえ、これは応急手当です。命は、これから繋ぎます」

エイダは決然《けつぜん》と言い放ち、双眸《そうぼう》の焔を猛々《たけだけ》しく燃え上がらせる。

ハーフリングの目には、その血まみれの少女が白く、どこまでも潔《しろ》く映った。

自らたちを助ける、天上の御遣《みつか》いのように。

彼は、ほとんど衝動的に敬礼をしていた。

他の動ける者たちも、これに倣う。

「では、負傷者を連れ、野戦病院に向かいます」

相変わらずのぎこちない動作で返礼したエイダは、身動きの取れない者たちを抱え、事前に用意していた荷車《にぐるま》へと積み込んでいく。

荷台を牽《ひ》くのは魔導馬《まどうば》である。

魔導馬は、魔術的な品種改良と身体強化が施された特殊な馬だ。

数で劣る汎人類連合が、魔族に打ち勝つための機動力として利用している重要な戦力であった。

エイダは前もって人事課へと話をつけ、高速で移動できる馬車の手配を済ませていたのである。

戦術魔術が途切れた瞬間を見計《みはか》らって、２２３連隊の傷病者たちは、一斉《いっせい》に塹壕から後方へと護送《ごそう》されていった。

それから、きっかり半日後。

古城を即席《そくせき》で活用した野戦病院に、数台の荷馬車が到着。

それは負傷兵を満載したもので、迎え入れた病院の責任者である聖女を、大いに驚愕させることとなった。

「この兵隊さんたちは、どこから送られてきたのかしら？」

「はっ、最前線、ウィローヒルの丘からです」

「そ——そんなことありえないわ⁉　だって、こんな重傷者が最前線からこの病院まで保《も》つわけがない。一命を取り留められるはずが……」

「しかし、間違いなくウィローヒルで戦っていた兵士たちです」

「だとしたら……これは奇跡ね。二度と起こりえない、神や天使の加護があったとしか……いいえ、ともかく治療！　皆、ヒールの準備を！」

聖女の号令一下《ごうれいいっか》、回復術士たちが次々に兵士たちを癒やし始める。

そして、再び最前線。

エイダ・エーデルワイスが去り、今まさに戻ってこようとしているその場所で、美しいエルフが狂ったような哄笑《こうしょう》を上げていた。

「は、ははははは——はーはははははは！　素晴らしい、貴様は本当に素晴らしいな、エーデルワイス高等官！　これで——これで我々はもっと死を恐れずに戦える！」

彼女はスコップを相手役に見立て、ステップを踏みながら、破壊と轟音の中で独り言《ダンス》を続ける。

飛来する無数の魔術や投槍《とうそう》の類いは、まるで自らそうしているかのように軌道を変え、彼女に命中することは決してない。

それは、どこまでも魔的な現象で。

「歓迎する。歓迎するとも。そして認める。貴官は有能で有用だ！　勇者のパーティーを追放された無能？　否、断じて否！　私だけは認めよう、我々こそが抱き留めよう。掃《は》きだめの、使い捨ての、無用の駒《こま》として使い潰されるこの223連隊が受け容《い》れる！　同志だ！　貴官は同志だエーデルワイス高等官！　この悍ましい戦場で、誉れ高き最悪の地獄で、ともに血みどろのダンスを踊ろうじゃないか！　はははは、はははははははは、あははははははははは！」

塹壕には、ただひたすらにレーアの。

尽忠報国《じんちゅうほうこく》に燃える亜人の歓喜に打ち震えた高笑いが、爆裂魔術を背景としながら、いつまでも響き渡っていた。

その姿は、天使というよりも——その真逆に位置するものにこそ、近かった。

閑章

EX episode

宴会する烈火団

「俺たちの天下なんだなぁ、これが！」

烈火団の団長にして魔術双剣士ドベルク・オッドーは、コンプレックスである鼻炎気味の洟をすすってから、麦酒《エール》を一息に呷《あお》った。

酒場にて、祝賀の宴会を開いている真っ最中のことだ。

「しかし、ずいぶん上手いこといったじゃないか、ねぇドベルク？」

そんな彼にしなだれかかり、熱い吐息を吹きかけているのは、烈火団唯一の女魔術師――賢者を自称するニキータ。

彼女は大きく胸元の開いた服をさらに着崩《きくず》して、ドベルクへと密着。艶っぽい表情で、同じくエールを口にする。

巨体《きょたい》の男が、不満の声を上げた。

「なあ、ドベルク。そろそろ我が輩にも解るように説明してほしいのであるが」

身《み》の丈《たけ》よりも巨大なバトルアックスを背負った重斧《じゅうふ》戦士ガベイン。

彼は、安酒に顔を真っ赤にしながらドベルクへと問い掛ける。

「おいおいおい！　なんだよ、やっぱり解ってなかったのかガベイン？　頼むぜぇ、おまえさんは烈火団の切り込み隊長なんだからよぉ」

ドベルクは鼻で笑うと、尊大《そんだい》に、傲慢《ごうまん》に、饒舌《じょうぜつ》に、ことのあらましを語り始めた。

二度と彼らの元へ戻ってくることはない、エイダ・エーデルワイスについての話である。

「さて……勇者の証しを叙勲されるってのは本当さぁ。そんなみみっちい嘘はつかねぇのよ俺は。だが――俺たちだけがノミネートされてるってわけじゃねぇ」

「どういうことであるか？」

「なんでも、王様付きの占星術師《せんせいじゅつし》が言い出したらしいぜ。『近く、魔族四天王のうち一体を討伐する者がある。この者、雨の中で戦い、そのはてに救国《きゅうこく》をなすだろう』ってな」

魔族四天王といえば、この十年誰も倒せなかった強力な魔族だと彼は大げさに語る。

「で、あらゆる場所から、その資格を満たしそうなやつらが選ばれたのよ。そのうちひとつが、あたしら烈火団ってわけ」

「賢いニキータの言うとおりだぜ、ガベイン。もちろん最強なのは俺たちなんだけどねぇ、これが！」

「なるほど。だいたい解ったのである」

うんうんと頷いてみせる重斧戦士。しかし、彼はすぐに首をかしげて、

「むぅ……ではなんで、エイダのやつを追放したのだぁ？」

「ガベイン、おいおい、おいおいおいおいおい、ガベインよぉ」

心底不思議といった様子のガベインに、ドベルクは肩をすくめ。

次の瞬間、悪罵《あくば》を噴出《ふんしゅつ》させた。

「あいつが雑魚で！　お荷物で！　役立たずだからに決まってんだろうが！」

「あの子に何ができたか、そのかしこいおつむで考えてごらんなさいよガベイン」

「んー、なんであったか、お――王宮？」

応急手当だと、ドベルクは心底軽蔑《けいべつ》しきった表情で吐き捨てる。

「応急ってのは解る、間に合わせって意味だ。手当も解る、処置って意味だ。だけどよ応急手当ってのはわかんねぇ。造語か？　自分で作った言葉か？　俺には聞き覚えがねぇが――ニキータ！」

「あたしだって知らないよ」

賢者を自称する女魔術士は、苦々しい顔で首を振った。

我が意を得たりと、ドベルクは頷く。

「ならそいつはインチキってことだ。詐欺《さぎ》だ、俺たちにたかる寄生虫だ。なのにあいつときたら、不死身の烈火団が生きて戻ってこられたのは自分のおかげだとか抜かしやがる。はぁー、調子ブッコキすぎなんだよねぇ……！　そんなやつには、銅貨一枚だってやりたくない！　実際これまでやらなかった！」

「うんうん。大ナディア砂漠の迷宮を踏破《とうは》したのも、シニリア魔火山にノーティス凍土《とうど》でピンピンしてたのも、ぜんぶ我が輩たちが凄烈《せいれつ》無敵最強であったがゆえにな」

「そうだとも！」

だから追放した。

自分こそが真の勇者だと信じて疑わないドベルクは、さらに杯《ジョッキ》を重ねて言い放つ。

「だが――競《きそ》う相手の中に、どんなキワモノが潜んでいるか解らねぇ。汚い手を使うやつらもいるだろう。となりゃあ、用心するに越したことはねぇ」

つまり、戦力の増強であると彼は宣《のたま》う。

「マジで勇者の証しをもらっちまうにはよ、より強く、よりパーフェクトなパーティーでなきゃならねぇのよ。そこであいつは邪魔だった。だが……代わりに来る聖女様を仲間に加えりゃ、これはもう、百戦百勝《ひゃくせんひゃくしょう》殆《あやう》うからずってやつだぜ！　ひゃーはー！」

「「ひゃーはー！」」

調子に乗った三人は、ジョッキを打ち合わせて歓声を上げる。

それからもう何杯目になるかも解らないアルコールを飲み干して、全員が同様に醜悪《しゅうあく》な笑みを浮かべた。

彼らの内心は、既に勇者の称号を手にしたあとの栄達《えいたつ》にこそ向けられていたのだ。

「……へっくしゅ」

水を差すように、湿《しめ》ったくしゃみが飛び出した。

ドベルクはばつが悪そうに鼻の下を擦《こす》り、習慣的に懐から紙包みを取り出す。

「ドベルク、そいつはなんだい？」

「あ？　あー……」

彼が取り出したもの。

それは、他ならぬエイダが苦心して作った鼻炎の薬だった。

彼はアルコールに酔った眼で、しばらくそれを見つめていたが。

「はっ！」

ぽいっと、薬を酒場の床へと投げ捨てる。

「あいつが作ったゴミとか、知らねーよ。これまで効いたような気がしてたのも、なんかのインチキだったのさ！」

「それはそうよ、間違いないわ。寄生虫の残りかすとか捨てちゃって正解ね」

「ニキータはいいこと言うぜ……そうだ、ゴミは捨てなきゃならねぇ。明日には聖女様と合流だ。四天王の居場所も占いでわかってる。俺たちゃそこに行って、あとは魔族をブッコロすだけだぜ。そのあと？　そのあとはもう、やりたい放題！　天下は俺たちのものってね」

「じゃあ、今日はもっと英気《えいき》を養《やしな》いましょう？　飲み直したほうがきっといいわ」

「うむ、我が輩ら最強烈火団、無敵の成功を祝って！」

カツン！

再び打ち合わされるジョッキ。

「乾杯しちゃうんだなぁ、これが！」

大笑いが轟《とどろ》く酒場にて、烈火団の面々は浮かれ切っていた。

自分たちの将来がバラ色に輝くさまを夢想《むそう》し、信じ切って。

かくて、彼らの破滅はゆっくりと、しかしたしかに道行きを定めたのである。

第二章 実績が解除されたので、野戦病院を改革したいです！

episode 02

「知ってるか？　風の噂だ」

剣林弾雨の大戦場。

黒煙黒雨《こくえんこくう》が満ち満ちて、土砂が滝のように降り注ぎ、連発式火炎魔術が嵐となって吹き荒れる、ここは最前線。

最重要戦略拠点、レイン戦線ウィローヒルの丘。

魔王軍にとっては、人類生存権を食い破るための橋頭堡《きょうとうほ》。

汎人類軍にとっては、魔族領《まぞくりょう》へとアクセスできる数少ない足がかり。

互いに思うことはひとつ。

この地を奪われてなるものか。

結果、両者は死に物狂いで殺し合い、酷《ひど》くたくさんの血が流れた。

そんな地獄の戦場で。

汎人類連合軍の塹壕より前方へと突出した地点にて、仰向けに倒れている兵士がひとりいた。

彼は腹から血を流し、かすれた声でつぶやく。

「レイン戦線には、天使と悪魔がいる……らしいぜ」

「黙ってろ！　死にたかねぇだろが！」

倒れた仲間の側に身をかがめ、魔術を応射《おうしゃ》し、敵を牽制しながらヒト種の兵士――男の戦友は怒鳴りたてる。

しかし、男は喋るのをやめない。

「聞けよブラザー。悪魔ってのは、愛すべからざる黄金《きんいろエルフ》だ。亜人《デミ》のくせしてそいつは高射魔術《こうしゃまじゅつ》の着弾点、その只中《ただなか》にあっても傷ひとつ付かないらしい。それどころか矢を放てば、たったの一射《いっしゃ》で、十数体の魔族の首を飛ばし、弾道は直角に曲がるとか……げほっ、ごほっ」

「黙れって……」

男の咳《せき》には血が混じり、腹部からはだらだらと熱がこぼれ落ちていく。

このままでは彼が長くないことなど、誰の目にも明らかだった。

しかし、ヒト種の兵士には、どうすれば彼を救えるのかが解らない。

命令がない限り、兵卒に撤退《てったい》は許されない。回復術の心得もない。

よって兵士にできたのは、ただオロオロと男の側で時間を空費することだけで。

「それで、天使ってのは」

「天使なんていてるもんか。いるのなら俺たちを救ってくれるはずだ！」

「……どうかな。ともかく、その天使ってのは潔《しろ》いらしい」

「白い？」

「地にまみれてなお純白《じゅんぱく》……血にまみれてなお潔白《けっぱく》……そして……そして……」

「おい！　しっかりしろ！　末期《まつご》の言葉がポエムじゃ浮かばれねぇぞ！」

「ああ、神よ。よき同胞に恵まれました。ブラザー、どうやら俺にもお迎《むか》えが来たらしい」

男はかすむ視界をあらぬ方向へと向けていた。

空ではない。

大空は黒煙に曇《くも》り、閉ざされている。

地ではない。

輩《ともがら》は彼を顧《かえり》みることなく、勇《いさ》ましい雄叫びを上げて敵兵を駆逐《くちく》している。

では、どこを？

——戦場の、真っ只中こそを。

「『彼は私に手を伸ばし——私は拙速の手当を施す《ファースト・エイダ》！』」

響《ひび》くのは鈴《すず》の音のようによく通る声。

凜《りん》とした声音。

戦火飛び交う激戦区《げきせんく》のさなかを、駆け抜けてくる小さな影がひとつ。

それは羽根を持たず。

それは頭部に輪《リング》を頂かず。

それは後光を背負わず。

しかし、誰よりも潔《しろ》かった。

「大丈夫ですか、意識はありますか？　あるのなら痛みに耐えなさい、止血します」

「ぎっ――」

瀕死《ひんし》の男が何かを言うよりも早く、白い少女は傷口に強く手のひらを押し当てた。

激痛に舌を噛み切りそうになる彼の口腔《こうくう》へ、無遠慮《ぶえんりょ》に差し込まれたのは少女の空いている手。

窒息と失血死を間一髪まぬがれた男は、しかし続く施術を受けて意識を失った。

患部にアルコールを振りかけられ、軟膏で傷を塗り塞《ふさ》がれて、強く縄と包帯で固定されたからだ。

「て――天使……？」

「いいえ、回復術士《シーラー》です。もっとも、局地的回復術《コ・ヒール》しか使えませんが」

疑問をいだくヒト種の兵士から、気を失った仲間を譲《ゆず》り受けると、少女は易々《やすやす》と肩に担ぎ上げ、塹壕へ向け歩き出す。

「お、おい！　俺たちに撤退は」

「知りません。助けます。あなたもです。だから、希望を捨てないで」

「――――」

歩み去っていく小さな背中を呆然と見送って。

やがて兵士は、無意識に自分が涙していたことに気がついた。

その手が自然と祈りの形を作り、塹壕へと向かって頭《こうべ》を垂《た》れる。

レイン戦線には天使と悪魔がいる――風の噂はまことしやかにそう囁《ささや》く。

エイダ・エーデルワイス。

彼女はこの頃から密《ひそ》やかに、兵士たちの間でこう呼ばれるようになっていた。

小さな奇跡。

戦場の天使《リトル・エイダ》——と。

§§

「ブリューナ方面軍隷下223独立特務連隊、連隊長レーア・レヴトゲン特務大尉——前へ」

「はっ！」

後方に設営《せつえい》された臨時の式典場。

そこへ満ちる凄烈な空気の中に、レーアの凛然《りんぜん》たる軍靴《ぐんか》の音が響く。

壇上《だんじょう》へと上がった彼女は、普段身につけている泥と血にまみれた野戦服《やせんふく》から、染《し》みひとつない制《せい》服《ふく》へと着替えていた。

儀礼のための正装である。

レーア・レヴトゲン率いる亜人混成部隊は、ついにして魔族の要害《ようがい》たるウィローヒルの丘を攻略。

一帯の塹壕を支配下とすることに成功した。

これは破竹《はちく》の快進撃《かいしんげき》であり、だからこそ多大な犠牲者を出したが——戦果《せんか》と比較すれば、微々《びび》たる血の舗装《ほそう》であると、上層部からは判断された。

事実として、連隊のみに限って見れば、むしろ戦死者は低減《ていげん》されているのだ。

「――――」

所轄《しょかつ》の貴族――王の代理人が、司会進行の言葉に合わせて、レーアへと勲章《くんしょう》を授《さず》ける準備を始める。

報道関係者席では、許可を得た従軍記者が、藁半紙《わらばんし》にスケッチを走らせていた。

彼らの書いたレポートは、王都や地方領地における各ギルドで張り出され、軍の広報材料――あるいは民草の貴重な情報源として活用される。

その栄誉ある一場面に、亜人が抜擢《ばってき》されているのだ。

この珍事に、数名の記者の筆は、いやが上にも熱を帯びていた。

参列者の最後尾で、式典の様子を見つめていた人事課のヨシュア中佐は、誰に聞かせるでもなくぽつりとつぶやく。

「不死身連隊《ノスフェラトゥ》、か」

この半年間の戦闘において、２２３連隊はめざましい戦果を上げていた。

特に、作戦完遂《かんすい》能力と、死線をくぐり抜け生還を果たす復帰力は、驚嘆《きょうたん》とともに賞賛され、幾度となく会議で取り上げられるほどだった。

本来使い捨ての亜人混成部隊。

それが生き残る異常事態に際して、軍部が揶揄するようにつけた賛美混じりの蔑称こそ、ノスフェラトゥ――不死身連隊だったのである。

「……その主因《しゅいん》は何か」

考えながら、ヨシュアは隣をうかがう。

そこにいたのは、端整《たんせい》な顔立ちに強い意志をみなぎらせた白い少女。

特別に式典への参加を許可されたエイダ・エーデルワイスであった。

彼女は真紅の双眸をもって、美貌のエルフを遠目に見つめている。

この特異な外見の少女とレーアの関係性に、眼鏡の中佐はいささかばかりの興味を懐《いだ》いていた。

不死身連隊が躍進を始めた時期と、彼女たちが出会った時期に奇妙な一致を感じていたからだ。

「しかし、一方のエルフといえば、あれだ」

レーアの格好は、見てくれこそ遥《はる》かに整えられていたが、服の下がどうなっているかなど、現場を知るヨシュアには想像力を働かせる必要もなく明らかだった。

事実、彼女の右腕は三角巾によって吊《つ》られている。

「レインの悪魔、無傷隊長などと呼ばれても、怪我をするのだ。それが当たり前だ」

そうして、もしもレーアが噂のとおりに傷を負わない無敵の戦士であったのなら、この場に参加することはなかっただろう。

なぜなら彼女が受ける勲章とは、紫獅子心剣勲章《パープル・レオンハート》と呼ばれるもの。

それは——

「それは、名誉戦傷賞《めいよせんしょうしょう》であり、名誉戦死賞《めいよせんししょう》だ」

レーアはあくまで代表として受け取る。

叙勲されるのは、癒えぬ傷を負った負傷者と、物言わぬ死者たち。

そう、ウィローヒルを奪還するために命を捨てた誉れある死者《えいゆう》たちにこそ、この気高き勲章は贈られる。

獅子奮迅《ししふんじん》の働きをした者たちへ。

そして残った者たちが、次なる要所を打ち倒すために恐怖を弛緩《しかん》させ、意気地《いくじ》を奮い立たせるために。

士気奮励《しきふんれい》、意気軒昂《いきけんこう》をかねてこそ、この叙勲式は開かれているのだから。

「つまるところ、彼らは戦意発揚のための広告塔《当て馬》に過ぎない」

亜人にできて、なぜヒトにできないのかと激高《げきこう》させるため、２２３連隊は叙勲の栄誉を与えられたのだ。

ヨシュアは、そのことを理解していた。

全ては策謀であることを知っている。

厳《おごそ》かに進む式典の中、レーアの胸に、紫の勲章が飾られた。

拍手はどこかまばら。

亜人たちを認める者は、軍部にも多くない。

「それでも」

この未曽有《みぞう》の大戦争を打破《だは》するためには、優秀な身体能力と、不屈の精神を持ち合わせる亜人たちが必要であると、ヨシュアは考える。

２２３独立特務連隊は、有用であると。

こうやって、利用する価値は間違いなくあるのだと。
たとえそれが、プロパガンダに過ぎなくとも。
「……ぅ」
彼はそっと、腹部に手をやった。
チクチクと刺すような痛みが、胃袋に広がっていくのが解る。
良心の呵責《かしゃく》だとすればお笑いぐさだと、彼は口の端を歪め、すぐに硬く引き結ぶ。
痛みを表情に出さないよう取り繕《つくろ》っていると、小さな囁きが耳に届いた。
「特進《とくしん》などしなくても、受け取れる勲章が一番だと思いませんか、中佐殿」
「……何が言いたいのかな、ミズ・エーデルワイス」
白い少女――エイダ・エーデルワイス。
彼女がこの場に招かれるよう裏で手を回したのは、他ならぬヨシュアだ。
少ない情報から、しかしヨシュアは確信していた。
この少女の存在が、亜人たちに変革《へんかく》をもたらしたことを。
死の数を激減させ、場合によっては今後の戦争形態を変えかねないことを。
だから、ヨシュアはエイダに興味を持ち、もう一度話をしたいと考えたのだ。
ゆえに、今も含みを持って訊ねた。
それを察してか、あるいはまったく違う意図でか。
エイダは、まばらな拍手に消えるぐらいの小声で答える。

「式典の場に、兵士は無事で立っているべきだと。怪我などしていては見てくれが悪いと、中佐殿がお考えになっているのではと思いまして」

「我々の方言で話す必要はないよ」

「……死んでいるより――生きて受け取る勲章にこそ価値がある。違いますか？」

「……………」

「もし仮に――仮にですが、劇的に死者を減らして、負傷兵を前線に復帰させる方法があるとして、傷病を負っても即座に原隊復帰《げんたいふっき》する機構《システム》があれば、それはとても素晴らしいものだと、私は思うのです」

「――――」

迷った。

同期の誰よりも優秀な頭脳を持つヨシュアは、高速で、しかし慎重に思考を巡らせる。

算盤《そろばん》を弾《はじ》き、言葉の裏をさらい。

それでも、明確な返答を持ち得ず、

「それは、そのとおりだね、ミズ・エーデルワイス」

曖昧な表情で、どっちつかずな首肯《しゅこう》をすることしかできなかった。

「はい、そのとおりです中佐殿」

だが、一方でエイダは、こう考えていたのだ。

――言質《げんち》を取ったぞ、と。

かくして、少女は行動を開始する。

連隊での実績を携《たずさ》え、今度こそ戦争による死者を減らすために。

彼女は病的に恐れていた。

ひとが傷つくことを、命が失われることを。

かつて弟を失いかけた経験が、命の価値の重さを彼女へと背負わせていた。

ゆえにエイダ・エーデルワイスは。

野戦病院の改革へと、手を伸ばす――

§§

「はぁ……」

「どうしたの、聖女ベルナ？」

「どう、というわけでもないのだけど……はぁ」

レイン戦線から約半日の距離。

古城を改築して作られたトートリウム野戦病院の執務室で、聖女は出涸《でが》らしのお茶を口にしながら、今日十六度目となるため息をついていた。

青を基調とした第一種戦時聖別礼装《だいいっしゅせんじせいべつれいそう》の頭巾《ウィンプル》から、春色の髪がさらりとこぼれ落ち、弱い陽光の中で陰ったように揺れる。

聖女ベルナデッタ・アンティオキア。

翼十字教会《つばさじゅうじきょうかい》から出向《しゅっこう》してきている彼女は、たぐい稀《まれ》なる奇跡の代行者《だいこうしゃ》であった。

腕の一本や二本など、簡単に再生し。

致命傷を負った人間でも、奇跡の行使が間に合えば一命を取り留める。

ベルナはそれだけの術者であり、だからこそ齢《よわい》二十五にしてこの病院の責任者、院長《いんちょう》を任されていた。

「あー、ひょっとして、その責任が重いってこと？　心痛《しんつう》？　お茶のおかわりいる？」

「違うわマリア。これでもあたし、今の仕事には満足しているの。あと、お茶はまだたっぷりある」

「仕事の量と同じぐらい？」

「嫌な言い方をするわね……」

戦場への出向は、決して左遷《させん》ではない。

むしろ教会としては、実地経験を積《つ》むことで神の試練へと臨《のぞ》み、偉大な聖女に成長してほしいという思いがあった。

ベルナにしても、その点はよくよく理解している。

将来的には、聖女を統括《とうかつ》する地位に就《つ》くことすら、彼女は嘱望《しょくぼう》されているのだから。

「回復術士の仲間たちだって献身的だし、兵隊さんには感謝されるし、奇跡を重ねることで出世コースには乗るし……何より、毎日空《あ》いた時間には神様への祈りを捧げられる。神殿にいた頃じゃ味わえない、刺激的で、とても充実した日々よ。あたしは、今の生活に不満なんてないわ」

「じゃあ、何に困っているの？」

「……困ってるように見える？」

「だから訊ねてるのだけど、違った？」

お茶の相手をしていたベルナの補佐官――軍と教会の橋渡し《折衝》役であるマリア・イザベルは、眼鏡のつるをそっと押し上げてから小首をかしぐ。

「はぁ……親友に隠し事はできないってことかしら」

今日十七度目のため息をついて。

ベルナは気心の知れた友達へと、悩みの種を打ち明けた。

「マリアは、知ってる？」

「何を」

「戦場の天使の噂」

「あー」

その言葉を聞いて、マリアは納得したような、やっぱり解らないような、酷く微妙な面持ちになった。

しかし、聖女は構わず続ける。

ため込んでいたものを、信頼できる友達へと吐き出す。

「ここのところ、病院にやってくる兵隊さんが増えているでしょう。特に重傷者の数は、今までの比《ひ》ではないわ」

「んー、でも」

「そう、死者は減っているの。つまり、助かる状態で辿り着く兵隊さんが増えているわけ」

その原因は〝戦場の天使〟にあるというのが、もっぱらの噂だった。

「実際、多くの兵隊さんはうわごとでこう口にするわ。『白い髪、赤い眼をした天使が、自分を助けてくれた』って」

「……なるほど。そこが聖女の悩みどころなわけか。翼十字教会で白い髪に赤い眼の天使といえば」

「ええ。導きの天使にして楽園から去った堕天使《だてんし》〝レーセンス〟を指すわ」

この世界ができて、多くの種族が満ちたとき、神はヒト種に霊長としての冠《かんむり》を授けた。

一方で、選ばれなかった亜人たちを憐《あわ》れんだ導きの天使レーセンスは、自ら神の御許《みもと》を離れ、彼らを守る守護存在《しゅごそんざい》となった。

これらのことから、白髪赤目の人間というのは、歴史的に社会から敬遠される風潮がある。

レーセンス自体が、ヒト種にとってはマイナーな天使であるから、迫害《はくがい》にまでは至らない。

けれど、白髪赤目の容姿が、好意的に受け止められることは稀なのだ。

仮になんとも思わない者がいるとしたら、それはよほど合理的な判断をする人間か、ヒト種以外の亜人であろう。

「だから困ってるのよ」

「実在するにしても、兵士たちが見る幻覚だとしても、教会側の聖女様には看過《かんか》しがたいってわけ？」

「そう。でも」

「でも？」

「なんでもないわ。……個人的には応援したくなっちゃうとか、言えるわけないじゃない……」

「何か言った、ベルナ？」

「いいえ！　何も！」

少し大きな声で反論し、ベルナは十八度目のため息をついた。

そうして、すっかり冷えたお茶を飲み干した頃。

執務室のドアが、慌ただしくノックされる。

「失礼します！」

飛び込んできたのは、雑務を担当している看護士《かんごし》のひとりだった。

ベルナは首をかしげながら用件を尋ねる。

すると看護士は、困惑《こんわく》を絵に描いたような表情になり、

「じつは、院長に取り次ぎを願うという方が、訪《たず》ねてきておりまして」

「そんな予定、あったかしら？」

なかったはずだとマリアが首を振るので、ベルナは。

「なら、急用？」

「はい。それも、なんだかおかしな具合《ぐあい》で」

「？」

「えっと……」

ちらちらとマリアの様子をうかがって。

それから看護士は、意を決したように切り出した。

「訪ねてこられたのは、最前線の高等官様。その方は、訪問の理由をこう仰《おっしゃ》っております。『この病院の改善について、どうしても話し合いたいことがある』――と」

「…………」

「聖女ベルナ？」

ベルナは思った、面倒くさいと。

自分は責任者で、相手は無関係のやからだ。

土台からして無意味な話し合いになるだろう。

意味不明な要求《クレーム》をつけられるかもしれない。

看護士がマリアの顔色をうかがっていた理由もはっきりした。

マリアは折衝役《せっしょうやく》で、そんな彼女を通していない話など、非公式なものに違いない。

「……はぁ」

それでもベルナが、もはや数えることもやめたため息とともに重たい腰を上げたのは、相手の立場が高等官であると知ったからだ。

高等官とは、軍属《ぐんぞく》に与えられる地位であり、いうなればご同輩《どうはい》だと彼女は考えた。

命の危機から遠いとはいえ、ここは戦場。

そんな場所で、どうしても訴《うった》えたいことがあるというのなら、せめて聖女として、話だけでも聞いてやりたいと慈悲《じひ》の心が芽生えたのである。

……もっとも、それは本人と出会うまでしか維持されない、刹那的な心持ちではあったのだが。

「はじめまして。あなたが聖女ベルナデッタ・アンティオキア様ですね？　私はエイダ・エーデルワイス高等官。突然ですが、この病院には欠陥《けっかん》があります。改善《ちりょう》させてください！」

「────」

赤い瞳に純白の頭髪をした少女は、開口一番《かいこういちばん》そう告げた。

聖女ベルナは、

「ちょ、ベルナ⁉」

その場で、白目を剥いて卒倒《そっとう》した。

なぜなら彼女、聖女ベルナデッタは。

風の噂に聞く戦場の天使《リトル・エイダ》の、心底絶大なる大ファンだったからである。

§§

「聖女、偉いんですか」

「聖女、偉いだろ」

「どのくらいですか」

「階級的には私より上《こ の く ら い》だ。大佐相当の権限だな」

「マジですか……」

「大マジだとも、エーデルワイス高等官」

　時はしばらく遡《さかのぼ》る。

　野戦病院の改革をなすにあたって、エイダはそれとなく上官であるレーア・レヴトゲン特務大尉に伺《うかが》いを立てていた。

　疎《うと》まれた亜人たちの寄せ集め、223独立特務連隊とはいえ、これまであげてきた武功は赫々《かくかく》たるものだ。

　死者の増産工場《デッドマンズ・ベルトライン》とまで呼ばれた部隊の隊長が、医療改善を訴え出れば、聞き届けられる公算は高いとエイダは考えていた。

　この場合の医療とは、従来《じゅうらい》どおり、回復術や奇跡によるものを指している。

　しかし、返ってきたのは前述の言葉だった。

　もちろん、レーアがその気になれば、意見具申《いけんぐしん》自体は可能なのだ。

「私にしても部下たちが、戦線へ早期復帰《そうきふっき》すること自体は望《のぞ》ましいし、劣悪《れつあく》な環境下での治療など望まない。が」

「それとこれとは話が別、ということですね？」

「聡明《そうめい》だな。それは貴様の美点だぞ、エーデルワイス高等官。貴様は軍属だ。だが、例外的に正式な軍隊の命令系統には組み込まれていない。それは、他の回復術士、ひいては聖女についても同じことが言える」

否、聖女は教会からの出向であるから、より一層複雑だと、レーアは付け加える。

「どこの誰を経由するにしても、私から直接的な陳述を行うというのは難しい。無論、我々は貴様を家族朋友《かぞくほうゆう》の類いと考えているし、可能な限り便宜《べんぎ》を図りたいが……これに異存《いぞん》がある者は？」

針のように細い煙草を一息ふかし、レーアは仲間たちへと問い掛ける。

するとある者は肩をすくめ、ある者は興《きょう》じていたトランプをやめて顔を上げ、またある者は返り血のついたパンの頭を切り飛ばし、残りを頬張《ほおば》りながら異口同音《いくどうおん》を返した。

「エイダちゃんマジ天使」

「俺も後送してくれ」

「実際感謝している」

「今度干し肉奢《おご》るわね！」

「ほらみろ？」

言ったとおりだろうと、レーアはウインクを添える。

「はて……これは、小官《しょうかん》の独り言になりますので、ぜひ上官の皆々様は突発性難聴《とっぱつせいなんちょう》を患《わずら》って戴《いただ》きたいのですが」

ぽつりと、そんなことを口にしたのは、屈強な肉体を誇るドワーフだった。

ダーレフ伍長――以前、心臓が止《死んだ》まったところをエイダに救われた歴戦の勇士《つわもの》である。

厳つい風貌《ふうぼう》の彼は、立派な顎髭を撫《な》でながら、渋い声で続けた。

「レイン戦線、こと最前線では、我々兵士に逃げることが許されておりません。戦略的転進《せんりゃくてきてんしん》、撤退《てったい》、後ろに向かって前進……どのように言い換えても、前に進むことだけが許されております」

「………」

「たとえ魔術で足を吹き飛ばされても、塹壕に戻るという選択肢はなく――そしてそれは、戦友が同じ目に遭《あ》っても、手も足も出せず、見殺しにするしかないということですな」

つまり。

「軍紀に関係なく、立場に縛られず、戦傷《せんしょう》に倒れ伏した我々を後方へと引きずっていってくださる。あたら命を無駄に散らせるではなく、もう一度戦場に立ち、朋友たちと軍靴を並べる機会をくださるという意味で、エーデルワイス高等官殿は、小官らの希望なのでありますよ」

「ダーレフ伍長殿……」

褒《ほ》められ慣れていないエイダは、彼の言葉の意味を理解するまでしばらくかかった。

咀嚼して、ようやく飲み込むと、急な気恥ずかしさに襲われ、少女は頬を真っ赤に染めることとなる。

その背中を、レーアが音を立てて叩く。

「私は何も聞かなかったが――とかく部下どもは貴様のことを信頼している。だから、223連隊《こ》で経験したことを武器にするのは構わん。問題は、その程度では何も変えられんということだよ、エーデルワイス高等官。貴様がどれほど現場から信奉《しんぽう》を集めていようと、あちらでは有名無実《ゆうめいむじつ》だと考えておくがいいさ」

それが無難《ぶなん》だと、レーアは愛用の少し刃こぼれをしたスコップを地面に突き立てながら言った。

「となると……」

仲間たちの意見を受けて、聡明なエイダは考える。

いや、これまでもずっと考えてきた。

どうすれば、あの野戦病院の惨状を変えられるのか。

死体が処理されぬまま山積みとなり、乾いてもいない血のべったりとついた包帯は使い回され、消毒さえろくに行われない環境は危険だと周知する方法は何か。

そもそも、この問題に気づいている者がいるのか、いないのか。

回復術頼みの医療が、本当に正しいものなのか。

人間は、結果と実績を示さなくては、対話の席にすら着いてくれないものであることを、誰よりもエイダは理解している。

パーティーを追放され、思い知った。

「――解りました」

しばらくの間、黙考《もっこう》し。

やがて彼女は、ひとつの結論へと至る。

「殴り込みましょう、正攻法で。まずは、話を聞いてもらうための話し合いが必要です」

§§

そうして今、エイダ・エーデルワイスは、トートリウム野戦病院の主、ベルナデッタ・アンティオキアと対面していたのだった。

対面していたのだが……

「急患《きゅうかん》ですね。私が診《み》ます」

顔を合わせるなりベルナがぶっ倒れたため、彼女はその対応に追われていた。

「ちょっと触らないで。聖女ベルナの治療はこちらで行います！　彼女は教会の至宝よ！」

「マリアさん、でしたか？　あなたは回復術士ではありませんね？　ことは一刻を争うかもしれません。そちらで術士の準備をしている間に、検診《けんしん》を行います」

「何を勝手な――」

「ベルナデッタ様、聞こえますか？」

「話を聞け！」

駆け寄ってきたマリアに肩を掴まれても構わず、エイダは聖女の右手を取る。

「意識無し。自発呼吸あり。顔色は若干《じゃっかん》赤く、汗があり。主訴《しゅそ》は不明。ベルナデッタ様、指先を強く握りますよ？」

「聖女ベルナに気安く触れるなと言った！　この、えっと……あなたどこの所属《こ》!?」

補佐官として、命令系統を気にするマリアを捨て置き、エイダは強く患者《ベルナ》の指先を握った。

圧迫され色を失う爪先。

それはゆっくりと、時間をかけることになったが、やがて血色を取り戻した。

「失血性のショックではないですね。低体温……というわけでもない」

「当たり前でしょう、彼女はいつだってわたくしたちを温かく見守ってくださっている聖女なのよ！」

「どこかに麻痺があるわけでもないようですし、おそらくは反射性失神……あるいは低血圧による症状でしょうか。であれば……ちょっと粗相《そそう》をしますよ」

「あ、あー⁉」

もはやマリアが止める暇もなく、エイダは聖女の足下に自分が背負ってきた荷物を差し込んだ。

足を高く上げられ、意識がないまま、一種滑稽《こっけい》な体勢にされる聖女。

怒髪天《どはつてん》を衝《つ》く勢いで、マリアが抗議の声を上げようとした、その瞬間だった。

「う、うーん……」

「気づかれましたか、聖女ベルナデッタ・アンティオキア様」

「あんたは……」

「はい、私はエイダ。エイダ・エーデルワイス高等官といいます」

「えっと、あたしは……って⁉　どうしてこんなかっこうに⁉」

あられもない姿になっていることを自覚し――しかもそれをエイダに見られたと動揺し――飛び

起きる聖女。

「あ……」

その細い身体が、ぐらりとかしぐ。

「安静にしてください」

横から彼女を抱き留めたのは、他ならぬエイダだった。

「あ、あわ、あわわ」

ベルナの目の前に、陰ながら応援していた少女の顔があった。

長い睫毛《まつげ》や、ぱっちりとした二重瞼、頬のふんわりと燦《かがや》くような産毛《うぶげ》まで見て取れる距離。

一気に聖女の顔に朱《しゅ》が差して、両目がぐるぐると回り始める。

「やはり、安静が必要ですね」

症状を見て、そっとベルナを横たえさせながら、エイダは自らの分析《しんだん》を告げる。

「率直に申し上げますね、聖女様。あなたは過労《かろう》か何かで、血圧が低い状態にありました。そこになんらかのショックが加わって血流が乱れ、意識レベルが低下。応急手当として、下肢《かし》を持ち上げることで血液を頭部に送り覚醒を促しました。なので、少し、ぽーっとすると思います」

「戦場の、天使……」

「は？　やはり混乱していますか？　であれば申し上げにくいのですが……しかし、こういったことは最初が肝心ですので、もう一度繰り返させてもらいます」

密やかに好意を寄せていた相手が、突如目の前へ現れたことでゆだってしまった聖女。

しかしエイダにしてみれば知ったことではない。

ひとつ息を吸い込むと、躊躇《ちゅうちょ》なく訪問の理由を繰り返した。

「聖女ベルナデッタ・アンティオキア様に嘆願《たんがん》します。この病院の欠陥を改善させてください。具体的には、もっとたくさんの命を助けるプランが、私にはあります！　ここで働かせてください」

「――よ」

「え？」

「――めよ」

聖女は。

混乱しきった状態で、おおよそ正常な判断など下せそうになかったベルナは。

「ダメよ。ここに配属されたわけでもないあんたに、勝手はさせられない」

院長として、冷然《れいぜん》たる判断を口にする。

「エイダ・エーデルワイス、当院における貴官《きかん》の――あらゆる医療行為を、禁止します！」

§§§

夜。

「よし――やりましょう」

胸当て、ズボン、靴が一続きになった作業着――胴長《どうなが》を身につけ、両手に手袋、顔にはマスク、頭に頭巾《ずきん》をかぶったエイダは、ひとつ気合いを入れると、目の前の惨状へと取り組むことにした。

トートリウム野戦病院は、古城を改築したものである。

その設備は古い時代のものでとどまっており、とくに下水設備などは致命的であった。

ごみや糞尿《ふんにょう》、ちぎれた手足、それを貪《むさぼ》りに来た虫、ネズミなどの死体が、まとめて垂れ流されている下水路は、とっくの昔に破綻しており。

今では悪臭《あくしゅう》を放ちながら、間欠泉《かんけつせん》のように汚水をばらまく最悪の環境と化している。

エイダは、これの掃除《そうじ》へと取り組んだのだ。

院長である聖女によって、あらゆる医療行為を禁止された少女だったが、それでも傷病兵たちのためにできることを考えた。

思いついたのが、掃除。

ヨシュア中佐に口を利いてもらい――彼はずいぶん渋い表情を浮かべたが、エイダは笑顔で押し切った――最前線とトートリウムの二重勤務《きんむ》を始めた。

無論、辞令とともに病院を訪ねると、聖女も引きつった顔をしたが、エイダにとっては些細《ささい》なことである。

重要だったのは、病院の〝不潔《ふけつ》さ〟であったからだ。

「第一に、この病院の衛生環境《えいせいかんきょう》を改善する必要があります」

もちろん、ほかにも気になるところはいくらでもある。

しかし、いの一番で改善するべきだったのは、〝衛生〟であった。

「回復術士や聖女には、生まれつきの魔力が強くありますから、基本的にどれだけ汚れた環境下でもなんとなく健康を保《たも》てます」

ゆえに、回復術士というのは——高位魔術師の一部もだ——あまり身の回りを気にしない。

職場の清潔《せいけつ》さになど気を配らない。

これが魔術の不得手な、一般兵たちになってくると話が変わってくる。

どちらも清潔さに無頓着《むとんちゃく》だという点では一致しているが、耐性という面が大きく違うからだ。

彼ら——一般兵が傷を負えば、そこから雑菌が侵入し感染症《かんせんしょう》を起こす。

ヒールによって治療すれば傷口自体は塞がるが、病毒《びょうどく》までもが癒えるわけではない。

「つまり、感染が起きない環境を作るのが最善でしょう。予防です」

エイダにしてみれば、その程度の考えである。

しかし——衛生。

この考え方が、諸人《しょじん》にもあるだろうとするのが——既にエイダの間違いだった。

彼女は、個人図書館という恵まれた環境で勉学に励み、弟の治療という形で知識を実践し技術に昇華してきた。

かの図書館に収蔵《おさ》められていたのは、いわゆる禁断の書物——禁書《きんしょ》の類いである。

魔術を基盤とした文明の中で、魔術に頼らない道を模索した異端者《いたんしゃ》たちの手記《しゅき》。

碩学賢者《せきがくけんじゃ》が、世の中から追放されながらも見いだした、幾つかの真理。

病原菌。

内臓の存在する意味、機能。

自己免疫の存在。

手洗いやうがいが、なぜ効果的なのか。

そんな、魔術とは別系統の、スタンダードとは言いがたい技術、医療の知識を練り合わせ、彼女が独自に生み出したのが――〝応急手当〟という術理だ。

これが一般的に理解されないものであることを、エイダの脳みそはすっぱりと失念《しつねん》していた。

彼女にとっては当たり前の知識が、他の者たちには奇跡のように映る原因である。

事実、聖女がエイダに、掃除という活動を例外的に認めたのも――ある種の贔屓《ひいき》がありはしたが
――それで何が変わるとも思えなかったからなのだ。

だから、エイダが下水を掃除するさまを、病院の運営に携わる医療術士たちは、奇異《きい》の眼差しで見つめていた。

そんなことをして、なんになるのだろう。

汚いじゃないか。

自分たちは選ばれた人間なのだから、もっと楽をすればいいのにと。

されども白い少女は止まらない。

自分の全身がどれだけ汚れようと、構うことなく下水へ挑んだ。

夜中は徹底的な掃除を行い、昼間は最前線にとって返し負傷者へ応急手当を施す。

彼らを病院まで後送し、もう一度戦線へと向かう。

どっぷりと日が暮れた頃、古城へ戻り、また下水に臨む。

その合間に、病院内のトイレや床の掃除も行っていく。

これを、彼女は半月ほど繰り返した。

はじめこそ、誰もが胡乱《うろん》な目つきで彼女を見つめていた。

あるいは気にも留めなかった。

しかし、風向きとは変わるものだ。変化とは、生じるものなのだ。

「……あなた、エイダさん、だよね？」

「はい？」

ある日、ひとりの女性がエイダへと声をかけてきた。

帽子を目深《まぶか》にかぶり、顔には布を巻いた、いかにも訳ありで、いかにも怪しげな女性である。

「おつかれさま、かな？　まあ、疲れてはいるよね。毎日大変でしょ？」

「いいえ。これは重要なことですから」

「……すごい頑張ってるけど、そんなことに意味ってあるのかな？　我らが偉大な聖女様を困らせているだけじゃない？　迷惑をかけてしまっているって思わないの？」

「迷惑をおかけしているとは考えています。しかし、意味はありますよ」

「あるの？」

「はい、あります」

問われるがまま、エイダは衛生の話を始める。

魔術や呪いと同じように、目に見えぬものが作用してかかる病気があること。

その病気の源《みなもと》は、こういった不潔な場所に集まり増えていくこと。

清潔であることの重要性などなど。

彼女は知識を秘することなく、惜しみなく説《と》いた。

それは、エイダをして知らぬことではあったが、本来ならば大賢者と呼ばれるような偉人たちに師事《しじ》して、数十年をかけてようやく学べるような知識の数々であり。

全てを聞き終えて、怪しい女性は、

「……まあ、頑張ってね」

それだけ告げて、姿を消した。

エイダは彼女を見送り、仕事へと戻る。

しかし、翌日。

「……気が変わったわ。あんまりにもあなたは無茶をするようだし……わたくしが少し、すこーしだけ、手伝ってあげる」

怪しい女性は、そう申し出てくれた。

面食らったのはエイダである。

誰かに手伝ってもらおうと思って知識を口にしたわけでも、助力《じょりょく》を想定していたわけでもなかったからだ。

だが、その女性はひとつの契機《けいき》に過ぎなかった。

翌日には、さらにひとりが。

その翌日にはふたりが。

翌々日には三人と……どんどんと、彼女へ協力する者たちは増えていく。

それは、医療に理解のある回復術士にとどまらず、非番の看護士や、なかには軽傷の兵士たちも含まれていた。

「どうして」

なぜ手伝ってくれるのかと、少女が唖然《あぜん》として訊ねれば、彼らは照れくさそうに、しかしこぞって答えたのだ。

「だってきみが、あんまりにも必死で頑張っているから」

だから手伝いたくなったのだと、彼らは告げる。

エイダの行いが、本当に健康を守るものか解らなくても。

それでも一生懸命さが伝わったからと。

初めてこの病院を訪れたとき、そこに蔓延《はびこ》っていた無理解が、今このとき、わずかながら理解へと変わった。

エイダが積み上げた実績こそが、彼らの意識に変革をもたらしたのだ。

「皆さん……ありがとうございます！」

ぺこりと頭を下げる白い少女に、温かな声援が降りかかる。

「……聖女ベルナ。あれ、いいの？」

そんなエイダたちの様子を、離れた執務室から見下ろし、マリアは、自らの主へと訊ねかけた。

「いいも悪いも」

ベルナは紅茶をゆっくりとかたむけながら、なんとも微妙な表情で口元を歪める。

心中では、自分もあの場で手伝いたかったなぁと考えながら。

「彼女は何も、あたしがつけた注文を破っていないもの。してないでしょ、医療行為？」

「ですが……」

「それに、わかってるのよ、マリア。あなたでしょ？　最初に彼女へと近づいて、手伝ってみせたのは？」

「――やっぱり、ばれます？」

「そりゃあ、竹馬《ちくば》の友《とも》だもの」

訳知り顔のベルナに、マリアは舌を出してみせる。

そうして、そっと後ろ手に持っていた帽子をかぶり、布を取り出して、顔に巻き付けた。

その姿は、エイダの元に初めて現れた協力者、怪しい女性そのもので。

ベルナのお目付役であり、加えて回復術士の管理も役目とするマリア・イザベル。

彼女はここ数日、エイダのことを抜き打ちで調査していたのである。

「もちろん、こんなことになるなんて、わたくしは予想していなかったけどね」

「あなたって、恐いくらいに抜け目がないわね。だからこそ頼りになるのだけど」

「お誉《ほ》めに与《あずか》り恐悦至極《きょうえつしごく》、なんちゃって」

かしこまってみせるマリアを見て、ベルナは微笑む。

「けれど」

聖女は、すぐに笑みを消して、目を閉じた。

「これ以上は、何もできないわよ。だって――彼女が唱《とな》える理想を叶えるには、圧倒的に物資が、不足しているんだもの」

憂《うれ》いを持って開かれた紫色《アメジスト》の瞳は、病床で苦しむ兵士たちの姿を遠くに見る。

彼らは未だ、使い回しの包帯で治療され、汚れ切ったシーツの上に寝転ばされていた。

「さあ、次はどうするの、エイダ・エーデルワイス？　次は、この次は？　戦場の天使、まるで堕天使レーセンスの生まれ変わり。あんたは――どうするの？」

マリアにも届かぬほど小さな声で、今日も働きづめの少女へと問い掛ける。

その前途《ぜんと》が祝福に満ちているように、心の中だけで祈りながら――

閑章 大樹海に挑む烈火団

EX episode

「こ――こんなはずじゃあ、なかったのにぃ……っ」

地面に突っ伏したドベルクが、息も絶え絶《たえだ》えにうめき声を上げた。

勇者の称号を手に入れるため、魔族四天王討伐に挑んだ烈火団。

しかし彼らは今、まさに行き倒れようとしている――

§§

数時間前。

四天王のひとりが根城《ねじろ》にしている、カールカエ大樹海《だいじゅかい》へとやってきた烈火団は、意気揚々《いきようよう》と高笑いをしていた。

「四天王とかいってもよぉー、所詮《しょせん》は魔族畜生《ちくしょう》なわけだからよう、こりゃあ楽勝じゃんねぇ……！

おまえらもそう思うだろう？　なぁ、ニキータ、ガベイン？」

「ええ、あたしたちは無敵ですもの」

「いかなる相手も一刀両断！　我が輩が重双斧《じゅうそうふ》の錆《さび》にしてやるとも！　がはははは！」

「……聖女様はビビって後方待機だがな。まあ、そんなことで俺たちの強さは、変わんねぇか！」

違いないと笑い合う三人は、ずかずかと無遠慮に森の奥深くまで入っていく。

「うへぇ、返り討ちの勇者候補たちだな。我が輩、こうはなりたくないものであるな」

「図体《ずうたい》の割《わり》に肝《きも》っ玉《たま》が小せぇぜ、ガベイン。こいつらには力がなかった、俺たちは最強。それだけさぁ」

森林に散らばる真新しい死体を見ても、ドベルクは動じなかった。

自分たちの力を、信じて疑わなかった。

少なくとも、そのときが訪れるまでは。

「――ニキータ、ガベイン」

「解ってるわよ」

「おうともさ！」

烈火団が臨戦態勢《りんせんたいせい》へと突入する。

森が、急にひらけたからだ。

そしてそこには、巨大な。

天を衝くほど巨大な、樹木があって――

「聞いて、聞いてなかったんだぜぇ……まさか四天王ってのが、あんなドデカい樹巨人《トレント》だったなんて、よ……」

彼らはもちろん戦った。

逃げるなんて選択肢を考えもしなかった。

トレントの召喚した無数の小木人《ウッドマン》を次々になぎ倒し、切り倒し、魔術で焼いて、防御など全て捨てて果敢《かかん》に挑みかかった。

ガベインの長斧は小枝をへし折り、ニキータの放つ酸《さん》は木の葉を一、二枚散らし、ドベルクの火属性を付与した双剣は、連撃をもってして幹に一条の傷をつけた。

その繰り返しを続ければ、彼らは勝てると踏んだ。

傷つけられるなら、削ることができるなら、どんな魔族でも殺せるはずだと。

これまで持久戦では負けを知らない烈火団だったから。

けれど、結果は――

「なんで、なんでだよ、チクショウ……！」

弱々しく、倒れ伏したまま、ドベルクは地面を殴りつける。

彼の赤らんだ鼻から、ぼたぼたと鼻水がこぼれ落ちていた。

戦闘中、突然のくしゃみに襲われたのだ。

一度だけではない。

何度も、何度も、それこそ戦闘を中断しなくてはならないほど頻繁《ひんぱん》にくしゃみをした。

戦いのさなか、目を閉じるという行為がどれほど危険か、考えるまでもない。

だが、ドベルクはまともに呼吸することすら危うかった。

トレントのまき散らす花粉が、彼の鼻炎を加速度的に悪化《あっか》させたからだ。

「薬……」

双剣士の脳裏を、一瞬だけ白い少女がよぎる。

彼女が調合した薬は、全て破棄《はき》してしまったことを思い出す。

「糞《クソ》が……糞が糞が糞が！」

叫ぶ。

だが、答える者はいない。

仲間は、ガベインも、ニキータも、完全に意識を喪失《そうしつ》してしまっていた。

「こんなこと、これまで一度もなかっただろぉ……⁉」

冒険者をやっていれば、敗走する機会などいくらでもある。

それでも今までは、どんなときでも無事に、倒れるようなことはなく拠点《きょてん》まで戻ることができていた。

そう、今までは。

「…………」

今、この瞬間、まさにドベルクは瀕死だった。

有頂天《うちょうてん》になって四天王へと挑み、返り討ちに遭い、敗走し、そのさなかに力尽きて死にゆこうとしていたのだ。

「……――」

やがて、彼の意識は途絶《とだ》え。

そして――

「――い、おい、あんた！　いい加減起きろよ、コラ！」

「あ……う……？」

煩《わずら》わしい怒鳴り声が、ドベルクの意識を浮上させる。

いつの間にか落ちていた目蓋《まぶた》を開け、かすむ視界に目を凝らす。

すると、自分を取り囲む数人の冒険者が見て取れた。

彼らは一様に、ニタニタと下卑《げび》た笑みを浮かべている。

周囲を見渡せば、どうやら樹海の外れであり、仲間たちの姿もあった。

「ガベイン、ニキータ、生きてたのかぁ……」

「一応」

「う、む」

言葉少なに、彼女たちは応じる。

ここで、ドベルクは妙だなと感じた。何かがおかしいと。

そしてその違和感は、すぐに確信へと変わる。

自分たちの装備が、剥《は》ぎ取られていたのだ。

どういうことだと目を剥き、冒険者たちを睨むと、彼らの荷物の中にドベルクたちの武器はおさめられていた。

冒険者の代表である禿頭《はげあたま》の男が言う。

「あんたら烈火団だろ？　王都で名の轟く大英雄、不死身の烈火団様っていやぁ、俺でも知ってるぜ！」

「……ああ、そうだ。俺たちは常勝無敗《じょうしょうむはい》の烈火団――」

「それが野垂れ死にとは、いい様だな！　おおかた、勇者の称号に釣られて樹海までやってきて、そのまま返り討ちに遭ったんだろうが。へへ、所詮はあんたらもその程度ってわけだ。こいつは笑えるぜ！」

ふざけるなと激昂《げきこう》しそうになったところを、ドベルクはギリギリで踏みとどまった。

身体の自由はまだ利かないし、何より今は丸腰だ。

対して男たちは、既に武器を抜き放っている。

「…………」

「なんだぁ、その反抗的《はんこうてき》な目つきは？　俺たちが救ってやったんだぜ？　あんたらを、俺たちの回復術士様が――だ。勘違いしてもらっちゃ困るがよ、これはビジネスだぜ」

「ビジネス？」

「勇者候補を救って回るのが俺たちの仕事《しのぎ》だから、仕方なーく助けてやったって言ってるんだよ」

「何が……何が言いたいんだぁ、てめぇ」

「ダメダメ！　口の利き方がなってない！　おまえらは圧倒的弱者、救われた側。俺たちは救ってやった側。ンー、立場を弁《わきま》えてほしいわけよ……！」

「ふざけんな！　おまえらなんて無名の冒険者だろうが……！」

「その無名の冒険者が助けるまで、鼻水たらして情けなく失神《しっしん》してたのはどこのどいつでしょーか？　正解は烈火団、不死鳥のドベルク！　ぎゃはははは！　馬鹿みてぇー！」

ギリリとドベルクたちの奥歯が軋《きし》みをあげた。

侮辱《ぶじょく》への怒りと、あまりの羞恥《しゅうち》に、彼らのはらわたは煮えくり返る。

冒険者たちはひとしきり嘲笑《ちょうしょう》を浴びせると。

烈火団の武具や荷物を一通りもてあそび、やがて撤収《てっしゅう》の準備を始めた。

「まあまあ、俺たちだって魔族じゃねーし？　命を取ったりはしねーからよ。でもな、あんたらだってタダで救われちゃ気がかりだろ？　だから――装備は全部いただいてやるよ」

「――は？」

は？　じゃねよと男は嗤う。

敗北者《ドベルクたち》を嘲弄《ちょうろう》する。

「正当な対価ってやつだ。言ったろ？　商売なんだよ。だから――もらっていくぜ」

「待っ」

「待たねえって。最低限動ける程度には回復させてやったから、あとは自力で逃げ帰るんだな、負け犬ども」

「――――」

「あばよ、無敵の烈火団様？　ぎゃははははは！」

冒険者たちは、ゲラゲラと笑いながら、その場から去っていく。

追いかけようと走り出して、ドベルクはつんのめった。

そうして無様《ぶざま》に、またも地面へと顔から突っ込む。

「糞……糞っ！」

鼻っ柱をすりむき、ボタボタと血混じりの鼻水をこぼしながら、彼はいつまでも毒づき続けた。

その両目には憎悪が。

これ以上もない怨嗟と悪意が、凝り始めていた。

§§

その後、拠点へと戻ったドベルクは、いの一番で聖女を呼び出した。

そうして、回復処置を受けるよりも先に、彼女へとわめき立てたのだ。

「おまえなんだよねぇ！　俺たちが恥辱《ちじょく》を受けたのは、全部おまえが戦闘に付いてこなかったからなんだよねぇ、これが！」

思いつく限りの悪罵を。

行き場のない罵倒《ばとう》を。

責任逃れの言葉を。

彼は聖女へと浴びせかけ、そしてニキータたちもそれに追従した。

「献身が足りないんじゃないの、あんた？　信仰が足りない似非《えせ》聖女じゃない？」

「よくもそれで聖女が名乗れたな！　我が輩なら恥ずかしくて実家にこもるレベルだ！」

「パーティーを癒やせなくて何がヒーラーかねぇ！　えらい聖女だと聞いていたが、所詮はこけおどしってわけだなぁこれが！　戦闘に同行しなかったせいで俺たちが死にかけたんだから、その名も地に落ちるぜ！　その辺りの責任、どう感じてるわけぇ!?」

彼らの罵声《ばせい》を、聖女は黙って聞いていた。

そうして、息継《いきつ》ぎにドベルクが言葉を止めたところで、

「解りました。では、お暇《ひま》をいただきます」

さくりと。

致命的な台詞を言い放った。

「は――――はぁ……？」

なんとも言えない表情で、首をかしげるドベルク。

そんな彼をまっすぐに見据え、聖女は頭を垂れる。

「短い間ですが、お世話になりました」

「待て」

「勇者に選出されるほど高名な皆様方のためならと思い、ヒーラーを引き受けましたが、どうやらこちらの見込み違いだったようです」

「待てって」

「まさか、ヒーラーに戦闘へ参加しろ、などという無知蒙昧《むちもうまい》なセリフを口にするような連中とは思いもよりませんでした。見抜けなかったわたくしの、不徳《ふとく》のいたす限りです。では、失礼」

「待てよ！」

きびすを返す聖女の肩をドベルクが掴んだ瞬間、

「くどい！」

聖女が、激発《げきはつ》したように一喝《いっかつ》した。

「あなたがたのような常識を弁えないパーティーなど、こちらから願い下げだと言っているのです！　ヒーラーを戦いの場に連れ回すとか、頭がおかしいんではありませんか⁉　聖女を仲間に遇《ぐう》したいというパーティーなど星の数ほどもいるのですよ？　もっとも――金輪際《こんりんざい》あなた方の仲間になりたがる回復術士など、ひとりもいないでしょうがね！」

それはつまり、烈火団の悪評を彼女が広げると宣言したに等しかった。

そして、これを阻《はば》む手段が自分たちにはないと気がついたとき、ドベルクたちは崩れ落ちる。

「……では、今度こそ失礼します。せめて見捨てられたあなたがたに、棄《す》てられた者全ての味方、堕天使レーセンスの導きがありますように」

祈りの印を儀礼的に切り、そして聖女は姿を消す。

あとには。

「……ふざけやがって……ふざけやがって……くそ……糞が……糞がアアアアアアあああ‼」

聖女にすら見限られたドベルクたちの、悲痛な怨嗟の叫びだけが、むなしく響き渡っていた。

第三章 戦場視察にやってきた貴族と絆を結び、支援物資を融通させます！

episode 03

辞令を受け取った瞬間、中佐から大佐へ。

ヨシュアは実になめらかな出世を果たすこととなった。

ウィローヒルの丘攻略に伴《ともな》う勲章授与《じゅよ》のあおりを受けて、実績が上層部から評価された形である。

本来ならば慶事であったが……彼は素直に喜べなかった。

責任の増大に伴い、当然のように厄介な仕事が多数、舞い込んできたからである。

「またも、またしてもレーア・レヴトゲンか……！」

うんざりとした様子で、ヨシュアは机の上に書類を投げ出す。

レーア・レヴトゲン特務大尉に関する素行《そこう》調査書と題打たれたそれが、ヨシュアには特級の厄《やく》ネタにしか見えなかった。

「〝レーア〟とは、〝よき知らせを運ぶ〟という意味の名前だろう」

だが、そこにレヴトゲンという姓《せい》が付属すると、途端に事態は〝よくない知らせ〟へと転化《てんか》する。

まるでことわざにある、悪魔が運ぶ手紙のようなそれ。

今、彼の前に鎮座《ちんざ》している書類の山は、この半年間レーアが成し遂げた功績《こうせき》、快挙《かいきょ》、武勲《ぶくん》といったものに対する疑義そのものだった。

本当に亜人が、部隊を率いるだけの戦略的知見《せんりゃくてきちけん》を持ち得るのか？

陸軍学校での成績、素行に問題は？

亜人如き存在に、はたして人類防衛の任が務まるのか？

レイン戦線での撃破数、およびウィローヒル攻略は捏造《ねつぞう》ではないか？

事実、かの丘に最も早く足を踏み入れたのは、ヒトの精鋭部隊である第61魔術化戦隊だったはずだ――

などなど、無数の〝疑惑〟が書き込まれている。

その多くは根も葉もない風の噂であり、取るに足りないものだ。

だが、それなりの地位にある人間が、正式な手続きを踏んで疑義を唱えている以上、人事課としては精査《せいさ》するよりない。

これでまず、仕事が増える。

「最後のひとつに至っては、上が直々《じきじき》に発令《はつれい》したことではないか」

後方勤務の特権である純粋な、ただし冷え切って香りの飛んだ珈琲。

その黒い水面へと口をつけ、ヨシュアは苦み走った表情をなんとか誤魔化そうと試みる。

しかし心中では、度し難い感情がぐるぐると渦を巻いていた。

ようは、保守派《ほしゅは》の工作なのだ。

あくまでヒト種は亜人に対して優性《ゆうせい》であると示すため、軍部はウィローヒルを攻略した223連隊の進撃に、一時的な〝待った〟をかけた。

結果として、魔族の重要拠点へ最初に進入したのは第61魔術化戦隊。

ウィローヒル奪取は彼らの功績であると、少なくとも公式文書には記録されているのだ。

「戦場にまで政治を持ち込まないでほしいというのは、わがままなのだろうな」

ヨシュアは独《ひと》りごちる。

人間同士の争いであれば、それは政治の道具でも構わない。

外交的不和の解決こそ、戦争概念の本質だからだ。

だが、今行われているのは人類存亡《そんぼう》を賭けた魔族との一大決戦であり、そこに政治が介入するなどもってのほかだ。

一致団結こそ、汎人類最大の武器であるのだから。

「レヴトゲン特務大尉が口にする〝愛国心〟。あれがまた、話をややこしくしている。有能すぎる働き者を嫌うのは、世の常か……」

そんな愛国心の悪魔は、栄転《えいてん》──とは名ばかりの、新たな激戦区へと転属《てんぞく》させられていた。

無論、レイン戦線という鳥籠《とりかご》の中での話だが。

「おとなしくは、してくれないのだろうな」

嫌な予感は尽きることがない。

とはいえ、時間は有限で、仕事は他にもある。

いつまでもレーアひとりにかかずらう暇はない。

またぞろ痛み出した胃の腑を押さえ、彼は次の書類を確認し——うんざりと、肩を落とした。

記載されていたのは、エイダ・エーデルワイスの名前。

そして、彼女から提示された献身的な任務に対する貢献報告と、今後の活動範囲拡大を申し出る理路整然とした陳情書《おてがみ》であった。

「あの天使め……また勝手に仕事を増やすつもりか？　いや、それ以前に、この物資の手配がどうとかというのは……」

正直、これは主計課《しゅけいか》か兵站課《へいたんか》に回してほしいと、ヨシュアは思った。

言うまでもなく、のちほどこの書類は転送されることになるだろう。

だが奇妙なことに一様にして——ヨシュアからすれば不承不承《ふしょうぶしょう》でしかないが——エイダの担当者は彼であるとする共通認識が、この課の中にできあがっていたのだ。

エイダ・エーデルワイスがやらかす全てについて、ヨシュアはあらゆる課の垣根《かきね》を越えて、全責任を負う立場にある——そんな認識ががである。

それは、図らずもヨシュアがかつて、エイダを式典に出席させるため方々へ手を回したことから発生している誤解なのだが、なぜそうなっているか、どうしても彼は思い至ることができない。

同期のほとんどから「対人関係への配慮が服を着て歩いているがゆえに優秀、ゆえに気苦労」と評されたヨシュアの脳髄は、本能的にこの話題を拒絶している。

考えれば考えるほど、己が追い込まれていくことなど目に見えているからだ。

ゆえに、陳情書の一部に「親愛なるヨシュア大佐」だの「折り入ってご相談が」だの「病院の物資」、「応急手当を指南《しなん》し部隊員を育成」だのといった可愛らしい〝お願い〟の文字が躍っているのを見て、机へと突っ伏してしまったのも無理からぬことではあった。

「昇進おめでとうございます」という社交辞令《しゃこうじれい》ではとても癒やされない気苦労が、ヨシュアを翻弄《ほんろう》していたのである。

レーアとエイダ。

彼女たちのことで、これ以上さまざまな部署から突き上げをくらいたくはない。

そんな人間として当然の感情と、大人として、職業軍人として、責務は果たさなければならないという理性。

その狭間《はざま》にて翻弄されながら、なおも職務を履行し続け。

ようやく昼下がり。

一時の食事休憩を挟もうとしたところで、それは起きた。

至急と刻印された強烈な事務書類《ストレート》が、極大の胃痛とともにヨシュアのボディーへと突き刺さったのである。

「お――お貴族様が現場を視察したがっている、だとぉ⁉」

よりにもよって最前線を、貴族の縁者《えんじゃ》が視察したいと申し出ている。

だから適当な人材を見繕い、なんとしてでも身の安全を確保せよ。

そのような命令――そう、どうしようもない命令だ――が、彼へと突きつけられていた。

「い、いて、いててて……」

前言を撤回し、今すぐ書類を投棄。

諸手《もろて》を挙《あ》げてリゾート地にでも繰り出したい。

そんな気分に苛《さいな》まれるヨシュアだったが、胃の痛みが現実逃避すら許してはくれない。

よくよく目を通せば、視察の要請を行った相手はページェント辺境伯——つまり北方戦線を支える大領主である。

辺境伯とは、本を正せば一国の王だ。

人類王が人間全体を守護するという名目で各地を併呑《へいどん》した際、真っ先に同調の意思を見せたのは彼であった。

魔族と長い間戦い続けてきた防人《さきもり》が、進んで恭順を示したからこそ、汎人類の統一はなされたと言っても過言ではない。

結果、ページェント家は辺境伯に任じられ。

さらには大陸中の王侯貴族を抑えて、次代国王擁立《ようりつ》にまで口を出すことができる選帝伯《せんていはく》の地位すら手に入れた。

そんな大人物からの要請である。

「あの方ほどの人格者が、どうして部下に視察など……ん?」

逃げ場はないかと行間へ目を凝らし、精読を始めた彼は、すぐにその記述を発見した。

視察にやってくる存在の名は、探すまでもなくありありと刻まれていたのだ。

エルク・ロア・ページェント。

すなわち――

「辺境伯のご子息本人⁉　ま、待て……これは、さすがに……うっ！」

キリキリと、キリキリと、彼の胃袋が限界を訴える。

貴族の息子が何をしに来るのか、道楽《どうらく》か何かかと邪推《じゃすい》する余裕は、もはやヨシュアにはない。

問題なのはその人物が希望している視察先。

次なる魔族の要所たるカールカエ大樹海、その瀬戸際たるレイン戦線ブリューナ方面。

そこは。

「あの天使と悪魔がいる、223連隊の担当区域ではないか――――！」

§§

エイダ・エーデルワイスは蛇が嫌いである。

理由は幾つかあるが、その最たるものは家族に関わることだった。

エイダがまだ幼かった頃、弟が蛇に驚き、三階から転落したのだ。

怪我の具合は酷く、当時の大聖女をして長くはないだろうと首を振るほどだった。

はじめこそ、他の家族と同様、エイダは取り乱していたのだが。

しかし弟の無謀が、屋根の上に作られた小鳥の巣へ、落ちたヒナを戻すために行われたのだと知って、雷に打たれたような衝撃を受けた。

自分よりも年少《ねんしょう》の彼は、いと小さき命を慈《いつく》しむ精神性の持ち主であり、どんなことにでも命がけで取り組む素晴らしい人物であると知り、強い敬意に震えたのだ。

その日から彼女は、弟の看護を自らに課した。

回復術や奇跡をもってしても治らないとされた頸椎《けいつい》その他の骨折、治せば逆に生命力を空費《くうひ》し死に至るとされた全身の裂傷、その全てと根気《こんき》よく向き合った。

幸いなことに、エイダにはコ・ヒールの才覚《さいかく》があった。

コ・ヒールは他者の生命エネルギーではなく、術者の魔力を消費して傷を癒やす。

だから昼夜を問わず、エイダは弟の容態を悪化させることなく、魔術を行使し続けることができた。

彼女は貪欲だった。

既存の治療法だけでは飽《あ》き足らず、王侯貴族であった父親が莫大な私財を投じて作り上げた個人図書館の、秘された蔵書を読みあさり、魔術の基礎や、オカルトと呼ばれた隠秘学《いんぴがく》、錬金術についても知識を蓄《たくわ》えていった。

そうして全てを記憶すると、弟に対して実践したのである。

骨が誤った接合をしないように整骨し、固定。

じゅくじゅくと膿《う》んだ傷痕を、嫌な顔ひとつせず毎日消毒し、軟膏を塗り、包帯を巻く。

熱が引かない弟につきっきりで、かたく絞ったタオルを、雨の日も冬の日も額に乗せ続けた。

ときに昏睡《こんすい》状態へと陥《おちい》る弟の部屋を換気《かんき》し、絶えず話しかけ続けることも忘れない。

最大限の注意と慎重さをもって、それでも幾たびかの失敗を重ねながら、彼女は知識を、技術を、それらの整合性をはかりながら練り上げていく。

5年の月日が流れた頃、彼女の看護は結実《けつじつ》した。

弟が、一命を取り留め、立ち上がれるまでに回復したのである。

彼女は大いに喜び、弟も感謝の涙をこぼした。

その日は御馳走《ごちそう》が振る舞われ、アップルパイが饗《きょう》された。

エイダにとって蛇は不幸を運ぶものであり、アップルパイはしあわせの味となった。

それから、1年後。

――エイダは、実家を放逐される。

理由を、彼女は知らない。

知らないことにしている。

ただ、普段は温厚《おんこう》な父親が、恐ろしい形相をしていたこと。

やけに母親がよそよそしかったこと。

そして弟と顔を合わせることすらできなかったことを、強く記憶している。

「おまえが人助けをしたいと思うのなら、いつも笑顔でいなさい。でなければ、それは――」

父親が残してくれたのはそんな言葉と、エイダの母親のものだという奇妙な紋章が入った紅玉の指輪だけ。

馬車に乗せられ家を追い出されたエイダは、遠くの街へと運ばれた。

そこに住まう老夫婦が、彼女を育てるはずだったからだ。

「……ですが、彼らは私に名字を与えてくれてすぐ、何者かに殺されてしまいました。私は、自分の技術が無力だと噛みしめることになったのです」

いくあてを失ったエイダは亜人街へと流れ着き、そこでもヒト種であるからと迫害《はくがい》されて育つ。ただ、なかには見るに見かねて世話を焼いてくれる、心優しき亜人たちがいたことを、彼女は忘れていない。

「やがて、私は烈火団の団長ドベルク・オッドーさんに拾われて冒険者になりました。もっとも、そんな烈火団からも追放され、ここにいるわけですが。はい――これで昔話は終わりです。皆さん、気は紛《まぎ》れましたか？」

最前線での応急手当の間、なんでもいいから話をしてくれと223連隊の兵士たちにせがまれ、エイダは身の上話を語っていた。

本人にしてみれば過ぎ去った在りし日の出来事なので、それほど深刻に受け止めておらず、今もニコニコと微笑んでいるのだが、兵士たちの顔は皆一様に沈鬱《ちんうつ》で。

だから少女は、不満そうに頬を膨らませる。

「ちょっと、やめてくださいね、当人でもない皆さんが落ち込むのは。傷に障《さわ》ります」

「エーデルワイス高等官」

「はい――っと」

名を呼ばれて振り返ると、彼女は抱きしめられてしまった。

ほかの誰でもない、レーア・レヴトゲンによってである。

「安心しろ、貴様は家族だ。我々の同志であり同胞だ」

「え？　え？」

「皆もそう思うだろう？　異存のある者！」

レーアが決を採ると、満場一致で「ありません！」という声が返ってきた。

「見ろ、クリシュ准尉とダーレフ伍長、それにイラギ上等兵など涙を流して歓迎している」

言われるがままに視線を転じると、ハーフリングの青年と髭面のドワーフ、そして屈強な肉体のオーガが、恥も外聞もなく肩を抱き合っておいおい泣いている。

「……さすがに引きます」

「やめてやれ。あれでもあいつらなりに恩義を感じているのだ。クリシュもダーレフもイラギも、我が隊の主力として特に傷を負うことが多い。必然、貴様の世話になる。だから、ああもなるのだ」

「そういうものですか」

そういうものなんだよとレーアは少女の白い髪の毛を撫で、それから部隊に一喝を飛ばす。

「とはいえ――いつまで大の大人がべそをかいているつもりだ！　整列！　点呼《てんこ》！　治療が終わった者から突撃だ！　さっさと国への忠義を示してこい！」

「りょ、了解！」

スコップを振りかざしたレーアに怒鳴られ尻を蹴飛ばされ、亜人たちは統制《とうせい》を取り戻していく。

すれ違いざま、ドワーフの伍長ダーレフが、少女の手を握った。

「これ、あとでこっそり食べてください。連隊長には、ナイショですよ……?」

手の中に残されたのは、乱雑に包まれた飴玉。

きらきらと輝く、きっとダーレフにとっては貴重な娯楽《ごらく》と栄養補給の品物。

少女は飴を、宝物をそうするようにそっと握りしめ。

兵士たちの出陣を、優しく見守った。

「家族、ですか」

ずいぶんと遠くにあったような言葉が、今だけは身近に感じられている。

「いい言葉ですね!」

近しい者を尊《とうと》び、あるいは疎み。異端の者を排除し、あるいは受け容れる。

ヒト種も亜人も、やはり何も変わらないのだと、エイダは思った。

§§

ちょうどエイダが、複数名の負傷者を連れてトートリウム野戦病院へと出発した頃。

入れ違いとなって、レイン戦線を西進する部隊の姿があった。

奇妙な行軍《こうぐん》だった。

レイン戦線といえば塹壕戦と呼ばれるほど、この戦場では可能な限り身を隠し、飛び出してきた相手を殲滅《せんめつ》するという戦い方が一般的になっている。

だが、その部隊は塹壕の中を走るでもなく、堂々と、あるいは無防備なまでに、ただまっすぐ地面の上を馬車で進んでいるのだ。

泥濘と化した地面は、幾度となく馬車の車輪を飲み込む。

しかし屈強な護衛たちは、お構いなしに車を押して、愚直《ぐちょく》なまでの前進を続けている。

無論、魔術的な強化と品種改良が施されている魔導馬だからこそできる荒技だ。

馬車は豪奢《ごうしゃ》な造《つく》りであり、その扉には辺境伯を意味する杖に巻き付く蛇の紋章――ページェント家の家紋がありありと刻印されていた。

「……連隊長」

「ご苦労、クリシュ准尉。さすがは草原の民。目がよいな」

接近する馬車。

これを、真っ先に気がついたのは連隊の副長、ハーフリングのクリシュだった。

彼は草原に生きる亜人であり、場合によってエルフよりも目がいい。

斥候としても重宝される種族であり、クリシュ自身副長という地位にありながら戦闘へも参加するほどの腕っこきであった。

レーアは彼をねぎらうと、咥《くわ》えていた火のついていない針のように細い煙草を、ポケットへ注意深くしまう。

「あれですかい、話だけは聞いてましたが」

「ああ、視察団だ。ヒト種のお貴族様のな。正直貴官に丸投げしてしまいたいが――辺境伯はレイン戦線を含む人類絶対防衛戦線《リヒハジャ》を領地に持つ大領主《大物》だ……私が応対するよりほかあるまい」

「心中お察しします」

「言うな。これも同胞家族のためだ」

「我々の家族は、強制収容所《マンサーナ・デミ》にいるわけですが……」

「だからこそだとも」

小声で会話を交わす彼女らの前に、やがて馬車は横付けされた。

周囲では爆撃魔術が飛び交っているので、格好の的……なのだが、その全ては護衛たちが構築する高度な攻勢防御によって阻まれている。

できる――と。

レーアは眼光鋭く、使い手たちの技量を見定める。

戦況によっては、勇者にも近しい強者たちだ。

油断ならないという自戒が、手にしていたスコップの柄《つか》へ伝わり、ギリリと音を立てる。

そんな護衛たちに守られて、馬車からひとりの男が姿を現す。

男――否、まだ少年といってもよい年頃の人物であった。

エルフとして生来の長身であるレーアと比較しても、少年の背丈は胸ほどまでしかなく、胸板は薄く、四肢《しし》は細い。

顔つきは穏《おだ》やかで、柔らかな赤毛はふんわりとカールしており、優しい鳶色《とびいろ》の瞳はくりくりと好奇心いっぱいに戦場を見つめている。

そうして、魔術がどこそこで炸裂《さくれつ》するたびに、おっかなびっくり、全身を驚きに震わせ、よわったなぁと、首筋を撫でているのだ。

貴族のお坊ちゃんという肩書きが、これほど似合う少年もいるまいと、レーアは内心で嘆息《たんそく》した。

これから、この世間を知らなそうな少年のお守りをしなくてはいけないのである。

物珍しそうにキョロキョロと塹壕の中や外を覗いて回る少年は、ようやく敬礼をしたまま待機しているレーアとその部下を認め、慌てて答礼を行った。

「ご、ごめんなさい！　お待たせしてしまったみたいで……」

「いいえ、お気遣いは無用。自分はレーア・レヴトゲン特務大尉であります。レイン戦線へようこそ、ページェント様」

「エルク。ぼくはエルク・ロア・ページェント。ページェント辺境伯が長男です。本日は我が家のわがままを聞き届けていただいて、ありがとうございます」

「は？　はっ！」

貴族にあるまじき行為――丁寧にペコペコと頭を下げる少年を見て、さしものレーアも調子を崩す。

貴族というのは、基本的に傲慢で居丈高《いたけだか》、亜人を嫌悪しており、奴隷か家畜のように思っている……はずなのだが、しかし目前の彼は、レーアに対して毛ほどもそのようなそぶりを見せない。

むしろ声音には、誠意の色さえ浮かんでいる。

本当に気弱な人間か、あるいは腹芸《はらげい》の達者《たっしゃ》な真性貴族か……レーアは見極めるべく発言の許可を求めた。

暗愚ならばよし、優秀であってもよし。

問題は、自部隊を無用な危険に突っ込ませないかどうかである。

「ページェント様」

「エルクでお願いします」

「……では、エルク様」

「もう一声、とてもフレンドリーに」

「……エルク殿」

「はい！」

どうにも調子を崩すと辟易《へきえき》しつつ、それを極力顔に出さないようレーアは切り出す。

「我々は、詳しい説明をなんら受けていないのですが……いったいどのような御用向《ごようむ》きで、この地獄へいらっしゃったのですか？」

まさか爆撃の音楽を楽しみに来たのではありますまいなという皮肉を、彼女はすんでのところで飲み込んだ。

それから、よそ行きの笑顔を浮かべてみせる。

怪我をする前に帰ったほうがいいだろうとは、レーアなりの老婆心《ろうばしん》ではあったが、口に出すことは憚《はばか》られた。

「そもそも、どうして我が223連隊を、当地の案内役に選ばれたのですかな？　貴族ともなれば、もっと安全な部隊を指名することもできたでしょうに」

レーアの指摘を受けて、エルクは二度三度、何かを測ったように頷くと。

「なるほど、レーアさんは優しい方ですね」

ふにゃりと、表情を崩してみせた。

「は――」

危なくかしげそうになった首を力任せに停止させ、なんとか間抜けな顔を作らないように努《つと》める。

少年は、ただうれしそうに微笑む。

「世間知らずの貴族のボンボンには、戦場は危険が過ぎると、そう仰りたいのでしょう？」

「まさか、違います。エルク殿は立派にあらせられる」

否定しながらも、内心を読み取られたことにわずかな驚嘆を覚えるレーア。

少年はたたみかけるように、

「安心してください、ご迷惑はおかけしません。皆さんはいつもどおりにしていただければいいのです。普段どおりの皆様がよいのです。だから、ヨシュア大佐には無理を聞いていただいて……あ、ぼくの護衛は、彼らに任せてもらって大丈夫ですから。こちらも人事課の肝《きも》いりですし」

と、連れてきた強者《つわもの》たちを指し示した。

よほどの自信家か、それとも裏があるのか。

阿呆なのか、口達者なのか。

レーアの鷹の目には、そのどちらでもないように映った。

「もしや、とは思いますが」

「なんでしょうか、レーアさん」

「何かを、お探しであられる？」

「…………」

少年は即答しなかった。

ただ柔らかく、綿毛《わたげ》のように微笑んで。

そうして、じつに意味深な言葉を、口にするのだった。

「きっと、ぼくらは長い付き合いになりますよ、レーアさん。何せぼくは——大切なアップルパイの味を、探しに来たのですから」

§§

その日のレイン戦線は荒れ模様だった。

天候の話ではない。

乱れ飛ぶ魔術と死を前提とした突撃が、嵐の如く戦場を席巻《せっけん》していたのだ。

ブリューナ方面は、特に激しい有様《ありさま》だった。

戦場で用いられる魔術——攻勢魔術には、幾つかの種類がある。

詠唱を必要とせず、独力で発動が可能、一対一を想定した低位魔術。

詠唱や複数人による術式の構成、制御を必要とするぶん、効果範囲が広い高位魔術。

そして、限られた者だけが使える、地形を一変させるほどの絶大な武威を示す戦略魔術。

小隊をまとめて吹き飛ばすほどの威力を誇る高射魔術は、分類として高位魔術に該当する。

味方にすればこれ以上なく頼りがいがあり、敵にすれば何より恐ろしい。

今ブリューナを吹き荒れるのは、そんな高射魔術の雨だった。

「怯むな！　進め！」

魔族が防衛線と定め、カールカエ大樹海を包囲するように作った塹壕へ、魔術の雨が降り注ぐ。

合間を縫って飛び出した魔族の決死隊は、すぐさま人類軍によって挽肉《ひきにく》へと変えられた。

一方で、人類軍の攻撃の手が緩めば魔族たちが躍《おど》り出て、戦線を食い破ろうと躍起《やっき》になり、ヒト種は血祭りに上げられていく。

統率《とうそつ》や練度という意味では人類が、個々の技量と数では魔族が圧倒的に秀《ひい》でており、それはどの戦場でも同じように再現されていた。

「進め《ゴー・フォー》！　進め《ゴー・フォー》！　死力を尽くせ《ゴー・フォー・ブローク》！」

レーアの号令一下、２２３特務連隊の亜人たちは、勇壮《ゆうそう》な雄叫びを上げ、戦場へと躍り出る。

殺到する投石、投槍、雷撃、爆裂、氷結魔術の乱舞！

「我に風霊の加護ぞあり……！」

腰に差していた弓を抜き放つなり、レーアは弦《ツル》を引き絞った。

矢はない。

だが、何かがそこで白く凝る。

――大気だ。

極限まで圧縮された大気が、色づくほどに固形化した空気が今、凄烈なる一射として放たれる。

「――――《小鍵詠唱破棄・限定開放》！」

ただ一本の実体なき矢が、戦場を横断《おうだん》。

それだけのことで、吹きすさぶ風が、荒れ狂う晴嵐《せいらん》が、悪意ある攻撃の全てを弾き飛ばし、２２３連隊の前に血路を拓《ひら》く。

惚れ惚れするような魔術の行使。

「征《ゆ》け！　進め！」

「応！」

真っ先に突進したのは、巨漢のオーガ、イラギ上等兵。

大上段に抱えた鉄塊《てっかい》――金棒《かなぼう》が、塹壕から頭を出した魔族を粉みじんに粉砕する。

それでも怖れず、四方八方から群がるゴブリンたちが、突如として倒れ伏した。

ダーレフ伍長の妙技、酒精をばらまく酩酊《ドランク》魔術が、魔族の意識を混濁《こんだく》させたからだ。

続く。

連隊は続く。

止まることはない。

彼らは死を恐れない。

誰よりも何よりも信じているからだ、自らたちを率いる愛国の悪魔を。

レーア・レヴトゲンを！

「……こんなものを、見ていて楽しいですかな、エルク殿」

各分隊に指示を出しながら、レーアは背後に立っていた少年へと問い掛けた。

しかし、肝心のエルクは、どこか気もそぞろな様子で、レーアではなくむしろ戦場のほうをキョロキョロと見回している。

「エルク殿」

「――あ！　すみません、ちょっと気になることがあって」

「……問題は、何もなく」

自分の身さえ守ってくれていれば、そして余計な差《さ》し出口《でぐち》さえしないでくれれば文句はないと、レーアは自分を納得させた。

本来なら、彼女も戦闘に参加する必要がある。

連隊の人的資源損耗率《じんてきしげんそんもうりつ》は群《ぐん》を抜いて高いので、人材を余らせている余裕がないのだ。

それでも指揮に徹しているのは、このエルク少年がいるからに他ならない。

彼の周りには常に、歴戦の護衛たちが控えている。

だが、彼女もまた、エルクの面倒を見るようにと上層部から厳命《げんめい》されているのだ。

可能な限り便宜を図れ、と。

そも、少年の父親であるページェント辺境伯は、参謀本部の参謀次長……准将《じゅんしょう》である。ないがしろにできるわけがない。

だから、彼女の裁量《さいりょう》が許す範囲で、少年に戦場を案内しつつ指示を飛ばしているのだが……エルクは心ここにあらずといった様子で、いかにも落ち着きがなかった。

誰だって戦場に出れば恐れ慄《おのの》くものだが、どうもそれとは毛色が違う。

わからない。

レーアをして、少年の内心は推《お》し量《はか》ることが困難であった。

こんなとき、あの白い少女ならばどうするだろうか？

そんな益体《やくたい》もないことを想像し、やめた。

考えるまでもない。

あれは、怪我人を助けるだけである。

「えっと……レーアさんの武勇《ぶゆう》、たしかに拝見《はいけん》しました。すごいものですね！　一見して高位魔術のようですが、詠唱は非常に簡素。何か特殊な技ですか？」

「いいえ、エルク殿。単に風の力を借りているに過ぎませんよ」

ニコニコと笑いながら嘘を答えた。

たとえ貴族が相手でも、部隊の命綱である切り札を教えるつもりなど、レーアには毛頭なかった。

ましてそれが、自分の出自に関わるものであるならばなおさらに。

「じつは……当家は近いうちに魔族四天王の討伐を考えております」

「ほう？」

片眉を持ち上げるレーア。

興味を持って食いついたのが解ったからだろう、エルクは続ける。

「今も在野《ざいや》、軍部に属さない冒険者のあらくれ者たちを使って、その実力を調査しているところです。英雄にご興味は？」

「出世と名誉を拒《こば》むほど、自分は高尚《こうしょう》ではないですな」

「でしたら、そのときはお力を借りるかもしれません。四天王討伐は何よりの誉れ。彼奴《きゃつ》らを引きずり出す策は練っていますから……」

言いながら少年は、自分の首筋を何度も撫でてみせた。

――似ている。

戦場に生きる者特有の、鋭利に研ぎ澄まされた直感が、この少年と類似した思考形態を有する存在を脳裏に浮上させる。

それが明確な像――白と赤――を結ぶ直前、レーアは違和感に気がついた。

爆音が、途切れていたのである。

ほとんど間断《かんだん》なくレイン戦線に響き渡っている戦場魔術の轟音だが、このように時折《ときおり》、まるで示し合わせたかの如く打ち止めとなることがある。

それは、兵士たちに許された、つかの間の息継ぎの時間《休息》だった。

レーアは反射的に思考を棚上げし、弓を腰に戻し、スコップを地面に突き立てた。

それから、ポケットにしまっていた吸い殻《シケモク》を取り出し、口に咥える。

「煙草を吸われるのですね」

「今は咥えているだけです」

「なぜ？」

「……火のないところに煙は立たない。戦場で自らの居場所を教えた阿呆には、高射魔術というご褒美《ほうび》がもらえることになっておりますので」

「ふふ、レーアさんはご冗談がお好きなんですね」

ふわふわと少年は笑っているが、レーアにしてみれば笑い事でも冗談でもない。

高位の魔術師でもなければ空を飛べない人類とは異なり、魔族には有翼種も多くいる。

目立つことをすれば発見され、魔術の集中投射を喰らうし、本来高射魔術は、そんな空を舞うものどもを撃ち落とすための術式なのだ。

……もっとも、現在では威力の高さに目をつけられ、もっぱら敵集団を吹き飛ばすために用いられているわけだが。

だから、この場で楽しめる嗜好品《しこうひん》など、本気で火のついていない煙草ぐらいしか存在しない。

あるいは、部下のドワーフが好む飴玉だとか。

「ですが、真新しい煙草が吸いたいでしょう。都合がつけば、我が家から皆さんに付け届けをさせていただきたいと思います」

「それは、ドーモ」

「それから、レーアさんは常にスコップを持ち歩いていますね？　何か愛着が？」

「突いてよし、切ってよし、叩いてよし。塹壕戦において、これに勝る武器はありませんので」

「見ればずいぶんと傷んでいる模様。わかりました、そちらもご用意いたしましょう」

「そちらも、ドーモ」

どうやら貴族様は掃いて捨てるほどの金があるらしいと呆れつつ、彼女はまた、吸い殻をポケットにしまう。

そのときだった。

「あ……！」

少年が、遠方を指さし。

次の瞬間、駆け出した。

「エルク様⁉」

「お待ちくだされ！」

一拍《いっぱく》。

突然のことに出端を挫《くじ》かれた護衛たちが、初めて狼狽を見せる。

それでも彼らは、即座に精神を立て直すと、護衛対象であるエルクを追いかけ始めた。

レーアとて無視はできない。

命令がある。

地を蹴りながら、少年が向かう先へと目をこらす。

何か。

何か白いものが、戦場の只中を動いている。

小さな、白い。

「白い、だと……？　――准尉！　クリシュ准尉はどこか！」

「連隊長、ここに」

「あれはなんだっ？」

併走《へいそう》してきた副長に、件《くだん》の地点を指し示す。

そして返ってきた答えを聞いて、レーアは悲鳴を上げそうになった。

「あれは――同志です！　エ・ー・デ・ル・ワ・イ・ス・高・等・官・です！」

「――――！」

そう、それはエイダだった。

トートリウム野戦病院からとんぼ返りしたエイダは、223連隊が進軍してきたのとは丁度逆方向に迂回して、今、救護活動を行っていたのである。

「なぜだ？　なぜ、エルク・ロア・ページェントは、彼女を見て血相《けっそう》を変えた？」

解らない。

解らないが、臆測を巡らせる時間すら惜しい。

「准尉、可及的速《かきゅうてきすみ》やかに分隊を再編。ページェント准将が御子息の安全を確保する！」

「はっ！　エーデルワイス高等官は……」

「あれは死んでも死なん。が、可能な限り警護《けいご》してやれ。応急手当は戦場を、いや世界すら変えうるものだ。今ここで失うにはあまりに惜しい」

「了解！」

略式の敬礼をとり即座に行動を開始する副長と別れ、レーアは継続してエルクの後を追う。

塹壕の中を、身をかがめながら疾走する彼女や護衛と違い、低身長ゆえに全力疾走できるエルクとの距離はなかなか縮まらない。

そうこうしているうちに、エイダが迫る。

彼女は普段と変わらず応急手当を行っていた。

ヒト種の兵士を抱え上げ、塹壕へと戻ってくる白い少女。

その場に飛び込む赤毛の少年。

エイダとエルク。

ふたりの距離がほとんどゼロになり、互いが互いを認めた。

「あ……！　ああ……‼」

刹那、レーアの頭脳は既視感の正体を導き出す。

だが、それを言葉にするよりも早く――少年が少女の腕をとり、その手にはまった指輪へと触れた。

「……む。何をするのですか」

「ああ、やっぱりだ！」

喝采をあげる少年。

彼は突然少女へと抱きつくと、涙を流しながら、こう言ったのである。

「やっと会えましたね——姉上！　さあ、一緒に家《うち》へと帰りましょう……！」

レーアがエルクに覚えた既視感。

それは、彼とエイダの笑った顔が、やけに似通《にかよ》っているという事実だった。

§§

レイン戦線から最も近い辺境伯領——大都市リヒハジャ。

その中心に位置する辺境伯の居城へと、エイダは呼び出されていた。

通された応接室で、出された紅茶に口をつけもせず、彼女はただ、正面に腰掛けた初老の人物と見つめ合う。

蛇の絡まる、杖の紋章を背負った男。

ロマンスグレーの髪をぴしりと撫でつけ、右目には片眼鏡《モノクル》をはめた、帯剣礼装《たいけんれいそう》の男性。

皺の浮かぶ肌には、たっぷりとドーランが塗りつけられている。

それが、激務からくる色濃い疲労を、なんとか覆い隠すためのものだと、人を看続《みつづ》けてきたエイダにだけは看破できた。

激務。

激務に晒されているはずである。

そうに違いないと、エイダは断定した。

なぜならば彼こそが辺境伯。

魔族領と接するこの地を治め、レイン戦線の維持に多大な出資を行っている人類が防人。

ゼンダー・ロア・ページェント准将に、他ならないのだから。

そう、本来ならば王都の参謀本部に詰めていなければならない大人物が彼だ。

間違っても小娘と会うためだけに、このような場所にいてよい人間では、断じてない。

けれど。

「わざわざ面会の時間を作ってくださり感謝します……とでも言えばいいのでしょうか」

白き少女は、珍しくまなじりを鋭くしながら、慎重に言葉を選んで、吐き出した。

「お久しぶりです――お父様」

「儂《わし》を……父と呼ぶのか、おまえは」

「違うのですか?」

「…………」

娘からの問い掛けに、老いを隠せない父親は、重苦しい沈黙をもって答えた。

どちらともなく黙り込み、物音ひとつない静謐《せいひつ》な時間が流れていく。

ティーカップの湯気だけが、揺れるたびに熱を失い、かすれるようにして消えていった。

やがて、

「命を――粗雑《そざつ》に扱っているらしいな」

ゼンダーが、口火を切る。

「応急手当、だったか。ままごとのようなものを」

「ままごとではありません。命を繋ぐ術理です」

「局地的回復術しか使えないおまえが、ヒトを救うと宣うか？」

「はい。エルクが身をもって私に与えてくれた知恵ですから」

「………」


男はゆっくりと目を閉じた。

そうして、瞑目《めいもく》したまま、

「亜人《デミ》といるのは、なぜだ」

固い声で、訊ねた。

辺境伯とは、人類守護の要である。

この領地《リヒハジャ》こそ、魔族領と接する最大の地域。

この地を治め、先陣を切って戦い、その守護に全てをかたむける。

だからこそ、ページェント家は長く王として君臨し、今も人類王に次ぐ地位である辺境伯、次代の王を選出する選帝伯の位《くらい》までもが信託《しんたく》されているのだ。

ゼンダーは、あらゆる人間の守り手だ。

ゆえに防人としての体面上、放逐した娘が亜人と関わることをよしとできないのではないか。

エイダは初め、そう考えた。

いつか魔族に与《くみ》する者として、亜人を捉えているのではないかと。

しかし。

もう半歩、考えを進めるべきだと、聡明な少女の頭脳は囁く。

体面《たいめん》など、気にするだろうか？

いかに社交界へ身を置くとしても、逆説的に王位すら揺るがしかねない人類最大の有力者が、たかがスキャンダルを恐れるだろうか？

ない。

臆する必要など、ない。

では、なぜ？

なぜゼンダー・ロア・ページェントは、亜人について言及《げんきゅう》したのだろう？

そもそもこの男は、何をどこまで知っている？

いったいいつから、自分の消息《しょうそく》を突き止め、捕捉《ほそく》し、何をなしたかまで事細かに知悉《ちしつ》しているのだろうか？

もし。

もしも、エイダの知る父親であれば。

彼女が家を出たときと、何も変わっていないのであれば――

「お父様」

少女は、思い切って問いただす。

自分を、

「なにゆえ私を、放逐したのです？」

「それは、先の質問に答えるため、必要な疑問か？」

「はい」

「………、……エイダ」

そこで初めて。

男は、少女の名を呼んだ。

娘の名前を、口にした。

「儂に、おまえを捨てることは……できなかった」

「ああ、やっぱり」

そうなのだろうと考えて、実際にそうだったという答え合わせを得て、少女は薄く微笑んだ。

父親の愛が、うれしかったからだ。

納得する娘の様子を見て、ゼンダーは幾分か表情を和《やわ》らげる。

そうして、ゆっくりと頭を垂れ。

「すまなかった」

どこまでも実直《じっちょく》に、謝罪をした。

「おまえは聡い子だ。この父に幼き日、何も願わず、ねだることもなかった娘だ。母にも同じくした娘だ。理解しているだろう」

「お母様のことですね？」

「そうだ。あれは――おまえの実の母親では、ない」

知っていたと少女が笑えば、そうだろうと父も口元を緩める。

「だって、似ていないんですもの」

「ああ、おまえは、そして実子《じつし》たるエルクも、あれには似ない子だった」

「私が家を出されたのは、エルクを当主にするためですか？」

「違う、おまえを守るためだ」

ゼンダーは語る。

少女がこの家を出ることになった日に起きた真実を。

「知ってのとおり、ページェント家は防人の系譜だ。ここには人類が魔族と戦うためのあらゆる知識が集められている」

それこそが、ページェント個人図書館。

王家から例外的な信任を受け、禁書の類いまでも収蔵した人類叡智《えいち》の結晶。

仮に辺境伯以外の貴族が、ここに収蔵された書物の一冊でも持ち出せば、場合によってはお家取り潰しもあり得る、禁忌《きんき》の書庫。

「おまえはエルクを救うために、その知識へと手を出してしまった」

「得心《とくしん》がいきました。だからお母様は私を遠ざけるしかなかった？」

「うむ。実の子ではないとはいえ、あれはおまえを愛していたからな。魔術と異なる理《ことわり》、賢者の叡智を体得したとなれば、病床のエルクよりもおまえを当主に据えようとする勢力が出てくることはたやすく予見できた」

祭り上げられるだけならばともかく、残酷に利用される可能性もあったと、ゼンダーは続ける。

「ならばと、エルクの意識がはっきりするまで待ち、あれを交えて話し合い、秘密裏におまえを隔離し、保護することとした。儂の父の代から仕《つか》えていた、信頼の置ける元使用人たちに預けようとしたのだ。解らぬよう、名字も偽装してな」

それが、自分の身元を引き受けてくれた老夫妻だったのだと、エイダは初めて知った。

同時に、彼らの命が失われたのは自らの責任によるところだったことも。

姓名たるエーデルワイス。

それは老夫妻から彼女に贈られた、たったひとつのプレゼントだったからだ。

「おまえは殺されたものだと考えていた。だが……まさか冒険者に身をやつしているとは、ページェント家の情報網をもってしても、戦働《いくさばたら》きをするまでは知らなんだわ」

「私は……本当にたくさんの、尊いものに支えられて、生きてきました」

それはエルクのことであり、老夫妻のことであり、223連隊の仲間のことでもあり。

あるいは。

あるいは、自分を追放した烈火団のことでもあった。

彼女は未だに、誰ひとりとして憎むことなく、恨むこともなく、ただ受けた恩を返したいと願っていたのだ。

「……覚えているか、おまえがエルクを救おうとしたとき、儂が放った言葉を」

「もちろんです。一時だって忘れたことはありません」

遠い過去を見つめながら放たれた父の問い掛けへ、少女はまっすぐに答える。

「おまえが人助けをしたいと思うのなら、いつも笑顔でいなさい。でなければ、それは――」

「でなければそれは、きっと私の重荷になるだろうから――お父様は、そう言ってくれましたね」

「……エイダ。儂は、このとおり謝罪する。だから聞かせてくれ。先の問い掛けの答えを」

なぜ亜人とともにあるのか。

なぜ、亜人を助けるのか。

父の問い掛けに、娘は誠実な返答をする。

胸から湧き出す誠意を束ねて、実直に、愚直に答える。

「私が２２３連隊を助けるのは、彼らが誰よりも深く、誰よりもたくさんの傷を負うからです」

「それだけか」

「はい、それだけです」

「ならば、重ねて問う」

ゼンダーは。

人類が防人、辺境伯にして大領主ゼンダー・ロア・ページェント准将は。

「亜人たち以外を、救う心積もりがあるか？　なすこと全てを、ままごとだと誹られても？」

「はい」

エイダは即答した。

何も迷う必要はなかった。

ただ心のあるがままを口にすればよかったからだ。

「命の価値《かたち》に貴賤なく、私はこの手を伸ばすでしょう。そして両手《このて》の届く限り、全てを分け隔てなく助けます」

「それが聞きたかった」

ゆっくりと、重々しく、防人ゼンダーは頷く。

もはや彼の表情に、陰鬱《いんうつ》さはない。

あるのは活力に燃える、英雄がそれであって。

「エイダ、本当に済まなかった。下げろと言われれば、いくらでも頭を垂れ謝罪しよう。億千《おくせん》の言葉で謝意を伝えよう。だから信じてくれ。おまえは儂の、大切な家族だ」

「家族……。あの、お父様」

「なんだ」

「私、家族が増えたんです」

「……そうか」

花が咲くように、にこやかに破顔した愛娘《まなむすめ》を見て、ゼンダーは。

武人たる男は、穏やかに相好《そうこう》を崩《くず》す。

彼は寸前まで、もうひとつ問い掛けを重ねるつもりでいた。

「おまえは今、笑顔でいられるのか？」――と。

けれど、その答えは、何より雄弁なものによって果たされている。

だからゼンダーは、彼女を支えた大きなものに報いたいと願う。

真摯に、親身に、文字どおりの親心として。

「エイダ。何か、おまえにしてやれることはないか？　どうせ家に戻るつもりはないのだろう。ならば、儂とエルクにできることであるなら、可能な限り手伝おう。せめてこの父に、罪滅ぼしの贈り物をさせてほしい」

「でしたら！」

待っていましたとばかりに、ぐっと身を乗り出して。

エイダ・エーデルワイスは、生まれて初めて父親に〝もの〟をねだってみせたのだった。

「野戦病院を、よりよくするため物資がほしいです！」

§§

「こ――これはなんの騒ぎですかー!?」

聖女付きの折衝役、マリア・イザベルは驚きの悲鳴を上げ、眼鏡をずり落ちさせた。

トートリウム野戦病院の前に、大量の荷馬車がやってきたからだ。

――否、トートリウムだけではない。

レイン戦線全土の野戦病院全てに、その日幾台もの馬車が到来することとなった。

混乱するマリアの前に、馬車から飛び降りたひとりの少女が姿を現す。

「あ、あなたは」

黒煙たなびく戦場にあってなお潔《しろ》く、輝くように揺れる白髪。

意志の焔を煮詰めて固めたような、まばゆき輝きの紅眼。

その小柄な体躯からは想像もできない破天荒《はてんこう》な試みを成し遂げる、少女の名はエイダ。

エイダ・エーデルワイスが、再びトートリウムの地へと降り立っていた。

「マリア、なんの騒ぎかしら、これ？」

「聖女ベルナ！　こ、これは――」

「――」

駆けつけた聖女も、壮観《そうかん》な馬車の群れを見て言葉を失う。

彼女たちの前に歩み寄ってきたエイダは、一抱えもある書類――物品目録《ぶっぴんもくろく》を聖女へと差し出しながら、情熱に満ちた表情で告げる。

「補給物資です！」

「補給――」

「清潔な包帯、医療器具、まっさらなシーツ、洗剤……その他諸々《もろもろ》、用立ててきました」

「どう、やって？」

引きつった表情で訊ねてみるベルナだったが、なんとなく予想はついていた。

どうせ――とんでもないことを言い出すのだろうと。

「はい！　ページェント辺境伯に、必要だからと準備していただきました。今後も継続的に届きますが……あ、これがその目録です！」

「――――」

今回白目を剥いたのはマリアだった。

ほんの出来心だったとはいえ、エイダの清掃を手伝ったことが、巡り巡ってここに落ち着いたらしいと悟ったからだ。

つまりは、因果応報。

ゆえに聖女は、逆に落ち着いてしまう。

現実を噛みしめながら、ベルナは考える。

このあとに控えたマリアの激務は、きっと大変なことになるだろう。

けれど何より、大変なのは。

「……エイダ・エーデルワイス高等官」

「はい、聖女ベルナデッタ・アンティオキア様」

「あたしは、全ての医療行為を禁じました。覚えているわね？」

「もちろんです。何か問題でも？」

笑った。

ベルナは声を立てず、口元をにこやかにつり上げて、これ以上ないというぐらい勝ち気に笑った。

「あんたはすごいわ、リトル・エイダ。惚れ直してしまいそう」

「？」

「わかんなくていいのよ。でも、いくら物資があっても、誰が洗濯をしたり、掃除をしたり、包帯を替えたりするのかしら？」

「それについては、つい最近まで悩んでいたのですが」

「悩んでいたのですが？」

「ここに来て、どうなるか解りました」

「解ったの？」

「はい、解りました。だって——」

言いながら、少女は病院を見やる。

ゆっくりと——奇妙な確信に満ちながら——聖女は背後を振り返った。

そこには。

「おかえり、エイダちゃん！」

「待ってたぜ、このときをさ！」

「きみから教えてもらったこと、これで役立てられそうだわ！」

上がるのは大歓声。

白き少女を迎え入れる、幾人もの回復術士、看護士、兵士の姿。

彼らは一様にこう言っていた。

戦場の天使を、歓迎する――と。

「ああ、まったく」

まったく、この少女はたいしたものだと、ベルナは心を温かくする。

そうして、エイダへと向き直り。

「エイダ・エーデルワイス。あなたに」

実に聖女らしい慈愛に満ちた微笑みとともに、こう告げたのだ。

「あなたに、この病院でのあらゆる活動を、許可します」

「や――やったー！」

諸手を挙げて喜ぶ少女。

そんな彼女を祝福する無数の声。

ベルナは天を見上げ、心の内だけでつぶやくのだ。

「本当に」

この少女は、導きの天使のようだ――と。

§§

かくして、野戦病院の姿は変わっていく。

この場に居合わせた者たちは、後《のち》の世で異口同音に次のようなことを語っている。

たしかにそのとき、

「時代が変わる音を、聞いたのだ」

――と。

閑章　再起をかけた烈火団

EX episode

「ともかく、参加するしかないんだなぁ、これが」

昏《くら》く淀《よど》んだ瞳で、ドベルク・オッドーはうめくようにつぶやいた。

烈火団の仲間たちも、追い詰められた表情で同意する。

勇者の証しを手に入れるための討伐任務。これに失敗した彼らは、何もかもを失っていた。

烈火団を去ったのち、聖女が広めた悪評。

それは瞬《また》く間に拡散され、もはや積極的に彼らへ関わろうとする者はいない。

不死身の冒険者としての名誉は地に落ち。

その実力すら、不相応《ふそうおう》なのではないかと疑われ。

ついには、酒場ですら小馬鹿にするような陰口《かげぐち》を叩かれる始末《しまつ》。

限界だった。

輝かしい栄光の中で生きてきたドベルクには、とてもではないが耐えられなかった。

だから――甘言《かんげん》に乗ってしまう。

彼らを勇者へと誘った人物が、再び接触を図《はか》ってきたのである。

ローブを纏《まと》い、目深にフードをかぶった甲高《かんだか》い声の小柄な男。

その男は、ドベルクに機会を与えたいと申し出た。

「これは内密なお話なのですが……どうやら軍部は、特別な作戦を考えているようなのです。精鋭部隊と勇者の皆様で、魔族四天王──〝怨樹《えんじゅ》のトレント〟を攻略したいと。なんとしても、是《ぜ》が非《ひ》でも、ここで敵軍の要を削《けず》り殺しておきたい……そう考えているようです」

今ならば、烈火団がつけた傷も癒えていないだろうから、戦力を集中すれば確実に倒せるはずだとその人物は言う。

「しかも、軍が繰り出すのはあのウィローヒルを攻略した最強の部隊、英雄として銀十字勲章を叙勲する予定の元第61魔術化戦隊──その大規模再編がなされた姿である、第61魔術化大隊なのです。陸軍による全面的な支援もあります。そこにあなたがた烈火団の力が加われば……怖いものはありません」

「つまり、何かぁ？　俺たちのお膳立《ぜんだ》てをしてくれるってわけか？」

そのとおりだと、小さな男は首肯した。

「作戦には従軍記者も同行します。あなたがたのご活躍は、燎原《りょうげん》の火のようにギルドから市井《しせい》へと広がるでしょう。つまり、誉れ高き勇者として」

「…………」

考える。

これまでの人生で、こんなにも頭脳を酷使《こくし》したことはないというぐらいに、ドベルクは考えた。

はたして、この人物の言葉は信用に値するだろうか？

答えは……信じるしかない、というものだった。

もはや、ドベルクたちに友好的な相手などいない。

失っていないのは、この身ひとつ、命ひとつ。

だが、どうだろう？

もしもこの作戦が成功すれば、自分たちの失墜《しっつい》した名誉は回復されるのではないか？

汚名《おめい》は雪《そそ》がれるのではないか？

汚名返上。

名誉挽回。

躊躇する余地などなかった。

仲間たちに目配《めくば》せをして、ドベルクは了承《りょうしょう》の意を告げる。

そうして、数日後。

彼は再び、カールカエ大樹海へと立っていた。

装備は新調されたものでピカピカだ。

烈火団に残された財産を、余《あま》さず残さず費《つい》やして、可能な限りの装備を集めたのだから。

「決戦だぜ」

ズズズと鳴る洟をかみながら、烈火団団長は独りごちる。

ニキータとガベインも、同じような面持《おもも》ちをしている。深刻な、追い詰められた者特有の顔つきだった。

もはや引くことはできない。

両腰に差した一対の剣。

その重さが、わずかな安心と、手に馴染《なじ》まない不安を同時に与えてくる。

周囲には、無数の兵隊が同伴《どうはん》していた。

軍隊の精鋭、トップエリート。

そういう肩書きだと聞く。

彼らの武装もまた、実に真新《まあたら》しい。

なぜだかローブの小男も、行軍に参加していた。

「ふん……やることは単純だ。隠密行動で樹海を突っ切って、魔族《まぞく》の本陣に突入。電撃的にトレントへ復讐《リベンジ》をぶちかます……！」

憎悪に燃える瞳。

痙攣《けいれん》したようにつり上がった口元。

ドベルクは、自分の正気がすさまじい速度で燃焼《ねんしょう》されていくのを感じていた。

敵の本陣は近い。

間もなく、トレントと再戦を果たせるだろう。

そのときこそ、この黒々しい感情を――

「……あの子を捨てたのが、ケチの付き始めだったのかもね」

仲間《ニキータ》が、思わずといった様子で言葉を漏らした。

それが、ドベルクの逆鱗に触れる。

「あ……？　そりゃあ、あのクソ忌々《いまいま》しいクソエイダのことか⁉」

「だって、そうでしょう⁉　今のあたしらには聖女だっていないし……」

ブツリ。

自称賢者の弱気な言葉が、ドベルクの理性を破断させた。

真っ赤な顔で彼は拳を振り上げ――

「やめるのである団長！　ニキータも！」

反射的に動いたガベインに羽交《はが》い締《じ》めにされ、それでもドベルクは暴れるのをやめられない。

黒く歪んだ情動《じょうどう》が、ほとんど暴走していたからだ。

「間違ってたっていうのかよォォ、おまえたちまで、俺をォォォ！」

そんなことは言っていないと、ふたりとも首を振るがドベルクには届かない。

「俺は烈火団団長、最強の双剣士ドベルク・オッドー様だぞ⁉　馬鹿にされていい人間じゃあ、ないんだよねぇ……！」

軍人たちは「やめないか！」「敵陣のど真ん中だぞ、騒がしい！」「行軍の途中に無警戒だ！」などと警句《けいく》を飛ばしてくるが、それを聞き入れる余裕など存在しなかった。

ただただ怒りにまかせて、ドベルクは絶叫し、怒鳴りたてる。

彼に、正常な判断力は残されていなかった。

そもそも正気ですらなかったのだ。

なぜなら、ここは魔族領カールカエ大樹海。

中央にそびえるジーフ死火山に構《かま》えた、魔族たちの絶対的な支配域。

だから、そこでわめき立てるということは――

「っ――ぜ、全軍臨戦態勢《りんせんたいせい》！」

部隊の隊長が号令を発するよりも、最初の爆撃呪文が炸裂《さくれつ》するほうが早かった。

「――――」

ドベルクの目の前で、兵士たちが弾け飛ぶ。

そして、戦闘が。

ほとんど一方的な、殺戮《さつりく》が始まって。

「う、嘘だ……嘘に決まってるよな、これって……？」

ようやくにして、彼は状況を把握《はあく》した。

周囲全てを包囲する、無尽蔵《むじんぞう》の魔族たち。

そう、烈火団と第61魔術化大隊は――

「嘘だアアアアアアアあああああああ‼」

敵陣にて、孤立したのである。

第四章 エイダ・エーデルワイス量産計画です！

episode 04

戦火の音すら途絶える、暗闇《くらやみ》の夜。

トートリウム野戦病院内部に急造《きゅうぞう》された無数の病床《びょうしょう》で、兵士たちは苦痛にうめき、孤独に震えていた。

回復術《ヒール》は傷を癒やす。

だが、それはどこまでも肉体的なものに過ぎない。

人の心は、魔術とて癒やすことのできない領分《りょうぶん》だ。

だから彼らは怯《おび》えている。

夜の闇を。

日の光が拝めぬ朝を。

目覚めないことを。

時折遠くに響く、高射魔術の爆音を。

「――――」

そんな闇の中に、一条の光が射《さ》した。

ちいさな、ちいさな灯火《ともしび》。
ランプの明かり。
それが、病床の間を縫って、ゆっくりと進む。
「大丈夫ですよ」
脂汗《あぶらあせ》を流し、痛みとトラウマにもだえる兵士の横へと、灯火はやってきた。
そうして優しく語りかけながら、額を拭いてやり、乱れた毛布をそっと掛ける。
地にまみれてなお白く。
血にまみれてなお潔《しろ》い。
それは白髪赤目の少女、エイダ・エーデルワイスだった。
彼女は日中、最前線で応急手当に勤しむ。
そして夜になると各地の野戦病院を廻《めぐ》り、このような慰撫を繰り返していた。
兵士たちの枕元には鈴が置かれ、いつでも鳴らせるようになっている。
何事かあれば、すぐさま駆けつけられるよう、彼女自らが考案した仕組みだ。
遠くで小さく、遠慮がちに鈴が鳴った。
「はい」
少女が進む。
灯火を携えて。
「どうしましたか？」

「あ……じつは、眠れなくて……」

まだ年若い兵士が、少女に問われるまま、恥を告白するようにうつむいて言った。

彼の右足には痛々しく包帯が巻かれており――ただし、真新しく清潔な包帯だ――激戦の末に怪我をしたことを物語っている。

「では、あなたの手を握りましょう。よく眠れるように、物語を謳《うた》いましょう」

エイダは、彼が寝付くまで側にいた。

青年の瞼が落ちて、その端から大粒の涙が落ちると、彼女はそっと清潔な布で目元を拭ってやり、また歩き出す。

「エイダさん……」

「戦場の天使……」

「……おれたちの救い主」

「ありがとう……ありがとう……」

彼女が歩んだあと、兵士たちは自然と祈《いの》りの仕草《しぐさ》を取っていた。

ある者は涙を流し、ある者は本物の天使を見いだしたようにして、白い少女のことを――自らたちを見守る小さな奇跡へ、感謝と畏敬の祈りを捧げ続けて。

「――まったく」

その様子を、ずっとうかがっていた者が、ひとり。

聖女ベルナ。

彼女はエイダの献身に心からの敬意を払いながら、しかし回復術士の統括者《とうかつしゃ》として、苦々しげにこうつぶやくことしかできなかった。

「人の心配ばかりをして。いったいあんたはいつ、眠るつもりなのよ。ねぇ、戦場の天使《リトル・エイダ》さん?」

§§

「いい加減、休んでみたらどうですか」

「……ふぇ?」

唐突な物言いに、エイダは目を瞬かせる。

ちょうど223連隊の仲間から譲り受けた小さな飴玉を、昼食代わりに摂っているところだった。

「えっと……」

普段から張り詰め、気を抜くことなどめったにない少女の口から漏れ出した言葉は、いかにも判然とせず。

そのぼやけ具合からしても、彼女の疲労がピークに達していることは明白だった。

……もっとも、エイダが呆けた最大の理由は別にある。

休めと口にした相手が、マリア・イザベルだったからだ。

疎まれていると感じていた相手に気を遣われれば、さすがのエイダ・エーデルワイスも戸惑うのである。

「マリア、さん……？」

「ええ、回復術士と軍の折衝が仕事であるマリア・イザベルです。術士の待遇や、生活についても、聖女に準《じゅん》ずる形で発言権を持ちます。……はい、わざわざこうまで言ったのですから、わたくしの要求は理解できますわね？」

「……？　……⁇」

「めっちゃ首をかしげるじゃありませんか、あなた！」

実際、エイダにはちんぷんかんぷんだった。

もし彼女が普段の聡明さを維持していれば、マリアの立場になりきって明快《めいかい》に問題点を見いだしていただろう。

しかし、今のエイダにはそれができない。

原因は、至って単純。

「働きすぎなんですよ、あなたは」

「…………」

「いくら指揮系統が違うといっても、見過ごせないぐらいの超過労働なんですぅー！」

古城の中庭で、軽度の運動をしている兵士たちをちらりと見やりながら、マリアは続ける。

「先ほどまで、何をしていらっしゃいました？」

「はい。傷病を患っているとはいえ、人類には適度な運動が必要です。なので、兵士の皆さんと球《たま》蹴《け》りをしていました」

「……その前は？」

「暇を持て余した皆さんの気が滅入らないよう、本の読み聞かせをしていました。読み書きができない方のために、ちょっとしたお勉強会も準備しています。弟に無理を言って、不要な書籍を払い下げてもらおうかとも考えていました」

「その前は？」

「えっと……」

エイダは、指折り数える。

「室内の換気ができるように古城の改築を行ったのは……あー、これはだいぶ前ですね。窓をつけましたから、だいぶ空気の淀みがなくなりました。残念ながら助けられなかった兵士さんたちの箇《かん》易合同葬《いごうどうそう》をやったのは……それより前で。今日は朝から戦場で負傷者を担いで塹壕に連れていき応急手当を施して……」

「もういいです」

「いいんですか？」

「ちっともよくないですが……いいです」

ぷりぷりと怒ったマリアは、腰に手を当て。

埒《らち》があかないと判断した少女に、直接的な言葉を投げかける。

「それで、あなたは最後にいつ、眠ったのですか？」

「――――」

エイダは、即答できなかった。

明晰《めいせき》であることが取り柄の少女が、一時的に硬直《フリーズ》する。

眠った記憶が、本当になかったからだ。

「なんの話をしてるんだい？」

「エイダちゃん、どうかした？」

「あ、マリアさん、おはようございます」

うんうんと頭をひねりながらエイダが考えていると、周囲に人が集まってきた。

術士に看護士、機能回復訓練《リハビリ》をしていた兵士たち。

彼らはエイダを見るなり、それぞれのやり方で祈りの印を切ってみせる。

「天使様」

「いと尊き天使様」

「俺たちの救い主」

「少し顔色が悪いんじゃないか」

「それは大変だ！　休んでもらわないと」

「眠ってください天使殿！」

「お願いだ、休んでくれよ天使ちゃん！」

人だかりができあがった中庭で、兵士たちは好き勝手にわめき立てる。

エイダが疲弊《ひへい》していることは、彼らの目にも明らかだった。

だが、涙を流してまで休息を請われるとは、はっきり言って少女には予想外で。

そうしてマリアにしてみれば、それこそが問題としか表現できない出来事だった。

「まずい……これはまずいわ……」

聖女の補佐官は、眼鏡のつるを押し上げながら、独りごちる。

彼女は術者統括である聖女の補佐官だ。

だから、術士全体の健康に対して目を配る必要があった。

これは事実である。

エイダの休息を促そうとしていたのは、職務に忠実であったからだし、広告で集まった軍属と教会側出向側では所属が異なるとはいえ、同族意識があったからだ。

何より、聖女がエイダを気にかけているとわかっている以上、放置しておくことなどマリアにはできない。

つまり、親友に対するお節介《せっかい》というのが、本当のところで。

――しかし、今は状況が違う。

周囲の傷病兵たちが、口々にエイダを案じ、声をかける。

なかには涙を流してまで休息を取ってほしいと懇願《こんがん》する者までいる始末だ。

そうして兵士たちは、皆一様にエイダを〝天使〟と呼ぶのだ。

偶像を、崇《あが》め奉《たてまつ》るように。

それがまずかった。

聖女を支える人間として、曲がりなりにも教会と接点を持つ者として、看過しがたい事態だった。

人が神の御遣い――天使を名乗るなどあまりにおこがましく、聖女を差し置いて信仰を集めるなど、あってはならない。

マリアとて、エイダの度の過ぎた献身は評価している。

それでも、これ以上彼女が手放しに、天使や信仰の対象として扱われることだけは避けなければならなかった。

マリアが一番に護《まも》るべきは、教会の威光――聖女の立場なのである。

だから、涙ながらにエイダへ群がる者たちを制止しようと、口を開きかけて――

「まったく、騒がしいたらありゃしない。それで……今日はなんの騒ぎなの？」

今、最も聞きたくない人物の声が、それを遮《さえぎ》った。

「せ――聖女ベルナ」

まずい。

絶対にまずい。

マリアは震える。

ベルナは完全に教会側の人間――それどころか参謀本部直轄《ちょっかつ》の、独自権限を与えられた術士統括役だ。

それが、このふざけた騒ぎを耳にしたら――

「天使、という言葉が聞こえたわね。赤い瞳、白い髪の天使といえば……導く者、堕天使レーセンスかしら」

ぐるりと彼女が睥睨《へいげい》すれば、重たくのしかかるような緊張感によって、歴戦の戦士たちがピタリと口を閉ざす。

聖女とは、単なる役職ではない。

それにふさわしい奇跡を起こしてきた者に与えられる名誉、そして絶対的な権限と同義だ。

もし、ベルナがことを問題とすれば、それはやがてこの場にいる全員が査問《さもん》を受け、最悪軍法会議にかけられる、という未来にも繋がる。

それだけの威権を、強権を、聖女は与えられているのだから――

「――違う」

マリアは、内心で否定した。

これは建前《たてまえ》に過ぎない。

聖女はかくあるべきという、それこそ偶像的な振る舞いだ。

仮に、そんな暴挙をベルナがやれば、聖女としての名誉は地に落ちる。

責任感の強いベルナならばやるかもしれない。

だからこそ、させてはならない。

なんとか、しなくては。

取りなしのために、マリアは言葉を紡ごうとした。

けれど。

「――――」


聖女の紫色の瞳を見て、言葉を飲み込む。

あまりにも、途方もないほど澄み切った、権力と無縁《むえん》の清浄《せいじょう》な輝きが、そこにはあって。

聖女の、桜色をした口唇が、開く。

「あんたたちは、その小さな娘を天使に祭り上げたいようだけど……天使って、何かしらね？　傷ついた者の頭に、お花の冠《かんむり》を載せてあげる優しい娘のことかしら？　それなら無害で結構だけど。ねぇ、エイダ。エイダ・エーデルワイス高等官。あんたは、自分をなんだと思う？」

「…………」

タダでさえ疲労困憊《ひろうこんぱい》でふらついていたエイダは、この騒ぎでいよいよ限界を迎えつつあった。

しかし、ベルナの問い掛けには答えなければならないと、どうしてだか胸の内側から強い感情が湧き上がる。

エイダは告げた。

悩むでもなく、自然のままに。

困憊の中で、率直に。

「私にできるのは、苦悩する皆さんと、ともに歩むことだけです」

「そう？　じゃあ、もうひとつ。結局、あんたはこんな地獄のような戦場で、何をしたかったのかしら？」

「私は」

今度は、少し。

いや、たっぷりと考えて。

やがて言葉が、少女の口をついて出た。

自分が本当にやりたかったことは……やりたいことは、なんなのかと。

「助けて――と、伸ばされた命。その全ての手を取ること」

これまで茫洋《ぼうよう》としていた彼女の行動理念が。

がむしゃらに走り続けるしかなかった悪戦苦闘《あくせんくとう》が。

言葉にした瞬間、明確な形を取った。

曖昧に、せっつかれる想いと病的な信念によって行ってきた医療行為。

応急手当、兵士たちの後送、衛生観念の徹底。

何もかもが、このときのためにあったのだと、彼女は確信した。

「そう、だったのですか……」

答えを得た様子のエイダを見て、聖女は満足そうに頷く。

「ね？　その願いを叶えるためには、あんたが損《そこ》なわれてはいけないのよ。だから、皆が言うようにまずは休んで――」

「解りました！　ああ、私、どうしてこんなにも簡単なことを思いつかなかったのでしょう！　自分の不明《ふめい》を恥じ入る思いでいっぱいです！」

聖女の言葉を。

何もかもを、ぶっちぎって。

溌剌《はつらつ》と、それこそ天啓《てんけい》を受けたか如く舞い上がった少女は。

次のように、宣言したのである。

「私が潰れては元も子もない？　ならばつまり――私を〝量産〟すればいいのですね！」

「――――は？」

聖女は。

ベルナデッタ・アンティオキアは。

「はぁあああああああああああああああああああ!?」

驚愕の叫びを上げたあと、白目を剥いて気絶した。

どうか聖女も休んでほしいと、親友であるマリアは切に願うのだった。

§§

「どうして――どうして貴官は、そう無茶な要求ばかり持ち込んでくるのか!?」

「えへへ」

「えへへ――ではない！」

陸軍の食堂で、エイダと会食していたヨシュア大佐は、かかる重圧に耐えきれず絶叫をあげる。

〝献身的〟な業務内容の報告を受けていたときに起きた悲劇だった。

「新しい兵科《へいか》を創設《そうせつ》したい……そう言ったな、ミズ・エーデルワイス……」

「はい、そうです」

よくも簡単に言ってくれるものだとわめき散らしたいところをぐっと堪え、ヨシュアは珈琲を口に運ぶ。

常に臨戦《りんせん》たれとする軍部が信条。

これを体現した食堂の珈琲は、最前線における野戦給食と同程度——泥水《どろみず》にも劣《おと》る味わいであり、彼の渋面《じゅうめん》を一層厳しいものとするのに一役買った。

自分が淹れたほうがよほどマシだろう、これでも軍学校では諸先輩方に鍛えられた……などと一時の逃避をして。

しかし結局、生来の生真面目さからヨシュアは、少女と向き合う道を選んだ。

「……具体的には、これまで送ってきていた書簡《しょかん》によるものか？」

「ええ」

普段と変わらない柔らかな笑顔を向けられては、どうすることもできない。

彼女の弟であるエルク・ロア・ページェントと、ほとんど同型であるそれは、つまり一切の譲歩《じょうほ》をするつもりがないという証しだったからだ。

辺境伯の血に連《つら》なる者は、皆このような精神的バケモノなのだろうか？

彼は一瞬だけ、そんな人物たちに関わる自らの不幸を憐れんだ。

……憐れんだところでどうにもならないことは、彼が誰よりもよく知っていたわけだが。

「しかし、そういった話を通すならば、私などよりよほど適材がおられるのではないかな」

それこそ彼女の父親、ゼンダー・ロア・ページェントは、准将という立場にあり、参謀本部特殊作戦立案室に関わるような大人物だ。

ヨシュアが働きかけるより、よほど物事を円滑に――時には横車《よこぐるま》を押してでも完遂《かんすい》させるだろう。

やっと再会できた愛娘のためならば、なおさらに。

そのようなニュアンスを言外に匂わせれば、少女は困ったような顔で首をかしげる。

「大佐殿は、戦争中に何度も娘の機嫌《きげん》を取ろうとする上官を信用して戦えますか？」

「……なるほど」

しかし、それでも自分に白羽《しらは》の矢が立つ意味はわからない。

まずもって、ヨシュアに兵科新設の権限などないのだから、無茶苦茶である。

「無茶といえば、貴官の弟君もそうだ」

「エルクが？」

「ああ」

一週間ほど前のことである。

ヨシュアは、エルク・ロア・ページェントの訪問を受けた。

普段と何も変わらないふんわりとした表情で現れた少年は、土産《みやげ》と称して領地の名産品である火酒を携えていた。

ヨシュアに対してこれの酌をしつつ。

彼は酷く一方的に、自らの姉について語り始めたのだ。

「姉上はすごいんです。姉上は死ぬはずだったぼくに、生を全《まっと》うする機会をくれました」

ページェント家は国防のために禁断の知識さえため込んできたが、それを理解できる者は限られていた。

姉にはそれが可能だったと彼は誇る。

死ぬはずだった命さえ救ってみせたのだと。

「きっとぼくらに見えていないものが、姉上には見えているんです。あるいはそれが、世の中を変えていくかもしれません」

受け継いだのは、賢者たちが修めた碩学。

魔術体系とは異なる、異端にして絶対の論理。

だから可能性があると熱弁した。

「姉上ならひとりでも歩いていけると思います。けれど、多くの人が姉上に続けば、それは人類の大きな一歩となるでしょう」

姉上は。

姉上は。

姉上は――

ひたすらに姉を褒め称《たた》える少年の長広舌《ちょうこうぜつ》は、立て板に水を流すが如くで、ヨシュアはただ、黙って聞いているほかなかった。

恋人たちの惚気話《のろけばなし》を聞かされているようなものなので、彼にすれば閉口《へいこう》するしかないのだが——ヨシュアは頻繁に同僚から相談という名の惚気話を聞かされていた——相手の地位がなまじ高いので、遮ることも寝こけてしまうこともできない。

「姉上には」

そうして。

いい加減に辟易してきたところで、エルクは、そっと声音を変えた。

やけに重々しい口調で、こう告げたのである。

「……姉上には、理解者と協力者が必要です。そして、ぼくはそれを見つけました。223連隊、素晴らしい部隊です。どんな困難に直面しても、彼女たちなら踏破《とうは》できるでしょう。だから……ぼくも、安心して自分の責務を果たせます。姉上にもらったこの命を、使う時が来たのです」

それは、どういう意味かとヨシュアは訊ねた。

だが、エルクはこれに答えず、一枚の書類を取り出す。

そこにはヨシュアに対する命令が記されており、結局彼は、言われるがままに準備を進めることとなった。

「それは、どんな命令だったのですか？」

「うむ、奇妙なものだったよ、ミズ・エーデルワイス。極秘裏《ごくひり》に精鋭部隊を用意しろというのさ。それも……魔族の総力に対して、持久戦を行えるほどの練度《れんど》の部隊を、とね。それで私は再編した第61魔術化大隊を——」

「…………」

「ま、まあ。弟君のことはいいさ。問題は、貴官の願いだ」

難しい顔で口を閉ざしたエイダを見て、心痛をかけてしまったかと焦ったヨシュアは、ともかく彼女の話を聞くことにした。

２２３連隊に対して、スコップなどの備品を融通《ゆうずう》するようにという話も書類には付帯されていたが、さすがに関係ないだろうと、これも飲み込む。

「もう一度、具体的に説明してくれ。貴官は、何を生み出そうとしているのだね？」

「応急手当を行い、負傷兵を守る兵科を育成したいと考えています」

「それは」

それは、つまり。

「私、エイダ・エーデルワイスの持つ全ての知識と技術を継承した、回復術士と看護士で編成される部隊。人を守るのが兵士なら……それは、兵士を守る兵士です」

「名称は、決まっているのか？」

「いえ、そのへんは、ぜんぜん」

「…………」

首を振る少女を見て、ヨシュアは考える。

この提案が、どれほど重要なものであるか。それが、戦局にどんな影響を与えるかを。

……脳髄が弾き出した答えは、不確定。

彼の頭脳をもってしても、演算《えんざん》し切ることはできない。

ただ、予感があった。

予感などというと、酷く幼稚《ようち》だが。

それでも。

この〝何か〟が結実したとき、本当の意味で戦争は大きく様変《さまが》わりするだろうという、そんな予感が。

だから。

「わかった。その提案は、私が責任を持って上と掛け合おう。代わりに、命名権を譲ってはくれないか？　無論、仮のものだが、名がつくというのは重要だ」

「そんなものでよかったら、いくらでも。大恩《だいおん》ある大佐殿のお願いなら」

「では、貴官の実績と、これまで示した知識に照らし合わせて。戦場の兵士、その生命を衛《まも》るというところから――」

彼は、告げた。

「〝衛生兵《えいせいへい》〟と、名付けるのはどうだろうか？」

§§

新兵たるカリア・ドロテシアン一等兵は、己の選択を猛烈《もうれつ》に後悔していた。

発端は、ウィローヒルの丘が完全に人類の手に渡ってしばらく経った頃、新兵の間で広まった噂にあった。

兵科の新設が行われる。

しかも、参謀本部肝いりの新兵科らしい。

おまけにそこでは、身分や階級に囚われず、あの戦場の天使《リトル・エイダ》から直接教練《きょうれん》を施してもらえるというのだ。

これを聞いて、カリアはいてもたってもいられなくなり、気がつけば配属を希望していた。

せっかく一等兵へ昇進したのに訓練課程まで逆戻りというのはいただけなかったが、それを差し引いてもあまりあるほど、兵士の間で〝戦場の天使〟というのは神格化されていたのである。

事実、カリアはまだ右も左も解らなかった頃、突出《とっしゅつ》して負傷、エイダ・エーデルワイスその人に救われた過去があった。

戦場で目にした儚《はかな》くも麗しい少女性の発露、産毛まで燦《きら》めくような美しさ。

彼は心底エイダに心酔《しんすい》し、だからこそ間近で彼女と関われる機会を得ようと参加を決めた。

決めたのだが……。

待ち受けていたのは――〝地獄〟だった。

「それを担いで走ってください。んー、あと十往復ほど」

怒声でもなんでもない、しかしやけに通る声が訓練場へと響く。

そのたびに兵士たちの間から、情けない悲鳴が上がる。

〝衛生兵〟。

兵士を衛る兵士の訓練。

彼はどこかで高をくくっていた。

そんなものは、実際に戦うよりよほど楽だろうと。

「う、うべぇあ！」

けれど、今この瞬間カリアの口から漏れ出しているのは、情けない悲鳴だけだった。

無理もない。

既に丸一日、配属の挨拶もそこそこに、後方へ設営された訓練場を駆け回っているのだから。

加えて言えば、塹壕や障害物、穴や岩くれなどが忠実に再現された仮想戦場を、人間ふたり分に相当するおもりを背負《せお》ってのおまけ付きで、である。

カリアは思う。

新兵訓練にしても、度が過ぎていると。

「え、エーデルワイス教官……！　質問であります」

誰かが、耐えかねたように声を上げた。

「実際の人間は、こんなに重くありません……！」

「認識の齟齬《そご》があるようですね」

ふるふると、少女はゆっくりと首を振り、笑顔で――そう、暗澹《あんたん》たる兵士たちの有様を見ながら笑顔で告げた。

「意識を失った人間は、本来の重量より遥かに重たく感じます。その程度を担いで回れないで、味方を塹壕まで運ぶことはできませんよ？」

「で、ですが！」

「……わかりました。私も魔族ではありません」

前言を撤回する様子の教官《エイダ》を見て、カリアまでもが安堵《あんど》に胸をなで下ろす。

しかし、少女は変わらずにエイダ・エーデルワイスだった。

「では、走る数を増やしましょう。慣れるまで続ければ、きっと皆さんにもご理解いただけると思います」

「――――」

「……？　何をされているのですか、足が止まっていますよ？　足を止めれば魔術のいい的になります。死んでは仲間を助けられません。さあ走って。ゴー、フォー！　ゴー、フォーです！」

かくして体力自慢の男たちは、少女に言われるがまま、限界まで走り続けることとなる。

そうして、ヘロヘロになって崩れ落ちたところで、今度は、

「はい、次は座学と実技の訓練ですね。すぐに移動してください」

と、声をかけられる。

絶句する者。

膝をついて絶望する者。

まだ、カリアのように立ち上がって、のそのそと動く気力がある者も、この時点ではいた。

だが、

「――つまり、絶《た》えず状況が移り変わる戦場では、毎度右手首から脈を取ることは難しいわけです。上肢が爆発で吹き飛んでいる可能性も当然あります。なので、頸椎脈に触れて確認するのが確実でしょう。首がもげてないということは、胴体と繋がっているわけですから。では、実際に隣り合う方の脈を取ってみます。想定状況は爆傷がありで――」

という、実際に腕が吹き飛んだ負傷兵の戦場スケッチを用いた授業では、あまりのリアルさから嘔吐《おうと》する者が続出。

逆に疲労困憊で眠りに落ちようものなら、

「ぎゃあああ⁉」

止血の実技だと腕を縛り上げられて悲鳴を上げることになる。

縛るくらいがなんだと高をくくっていた者も、実際に縄と細長い棒によって限界まで捻《ひね》り上げられれば、あっさりと音を上げることとなった。

続く心肺蘇生術の実技訓練では、マネキン相手に口づけをすることに。

精巧なマネキンであったがためか、気恥ずかしさから照れたようなそぶりを見せる者が多かったのだが、羞恥心など許されるわけもなく。

「何がおかしいのですか？　言ってみてください」

「え、いや……」

「おかしくもないのに患者の前で躊躇したのですか？　その瞬間にも命は消えていきますが

「……？」

「その、自分は」

「試してみましょうか。あなたの心臓を、今から停止させることにします。どなたか、彼の心肺蘇生を行いたい方――」

などという話の運びになり、それが簡単な脅しだと解っていても、少女の眼差しはどこまでも真剣で、だからこそ恐ろしく、屈強な兵たちは泣いて助命を懇願することしかできなかった。

どっぷりと日が落ちた頃、ようやく訓練が終わる。

宿舎のベッドに倒れ込み、息も絶え絶えとなりながら、カリアは思った。

「悪魔だ……あれは天使じゃない、悪魔だ……」

初日が終わる頃、多くの者たちはそんな悟りを開いていた。

それでも、もはや逃げ出すことなどできない。

なんの武勲《ぶくん》も地位もない彼らが、再度の転属願《てんぞくねがい》など出したところで、そうそう受理されるわけがなかったからである。

§§

エイダにとっての常識は、魔術文明においての非常識である。
彼女が語る錬金術的な知識――臓器の振る舞いであるとか、血液の仕事であるとか――は、回復術士であれば、多少の理解が体感的に可能だ。

しかしこれを用い、効果的に治療しようとすると、魔術の知識がどうしても邪魔をする。

治れと念じ、術式どおりに魔力を消費すれば傷が癒える治癒術式。

あるいは、祈るだけで命が甦《よみがえ》る奇跡の類い。

そういったものこそが医療であると信じてきた新兵たちにとって、エイダの薫陶《くんとう》は全て、異次元の言葉を聞かされているようなものだった。

されども機械的に教えられたことを飲み込み。

無理矢理にでも実践を積み重ねていけば。

それはやがて、血となり肉となる。

そんな訓練が連日連夜、エイダの在《ざい》、不在にかかわらず続けられて――半月後。

「おめでとうございます。あなたたちは立派な衛生兵です。戦場は魔術や刃が飛び交う恐ろしいところですが、きっとひとつでも多くの命を助けるため、皆さんは奮闘《ふんとう》してくれると私は信じています」

「はっ！　エーデルワイス教官殿！　偉大なる天使《グランド・エイダ》！」

「この命尽きるまで、全身全霊を費やして、グランド・エイダに恥じぬよう救護を続けます！」

「万歳！　エーデルワイス教官殿万歳！　グランド・エイダ万歳！」

「……なんだか、奇妙な呼ばれ方をするようになってしまいましたね、私」

異様に目つきが据わったむくつけき男たちが、少女の前に整列し、表情ひとつ変えず万歳を繰り返す。

それはもはや、絶対忠実なる少女の教え子たちが、ただひたすらに師を礼賛《らいさん》している光景に他ならない。

いろいろ思うところはあったものの、それでも兵士たちはエイダにとって納得の仕上がりだった。

きっと彼らなら、誰よりも命の大切さを理解してくれるだろうと、そう信じたのである。

でなければ、わざわざ最前線に同伴《どうはん》させて魔術の雨をくぐらせた意味もない。

その節は亜人の連隊長、レーア・レヴトゲンに世話をかけてしまった。

何か埋め合わせをしなければと、少女は胸の奥で誓う。

……もっとも、レーア側からすれば丁度良い弾よけが来た、ぐらいの認識でしかなかったので、完全に取り越し苦労なのだが。

「それでは、訓練を卒業した証明に、白衣を配ります。この背中に刻印された、杖に絡まる赤い蛇の紋章が〝衛生兵〟の証しです。戦場ではこれ以上無く目立ちます。が、そのぶん味方は安心するでしょう。攻撃はできるだけ避《よ》けてください。各自辞令を受け取ったら、どこそこの部隊に配属されます。皆さんどうかご無事で。頑張ってくださいね？」

「うぉおおおおお‼」

「いいお返事です」

うんうんと満足げに頷くエイダは知らない。

のちに彼らが、量産型エイダ・エーデルワイスと呼ばれるようになることを。

何度攻撃を受けても不屈《ふくつ》の精神で立ち上がり、味方を背負って走り続ける白衣のバケモノと魔族の間で畏怖され噂されることを。

そして多くの同胞たちから、心のよりどころとして尊敬されることを。

血染めの白。

天使の指先。

リトル・エイダの子どもたち。

衛生兵という概念が大きく戦場を変えていくことを、このときのエイダ・エーデルワイスは、まだ何も知らないのだった。

彼女はただにこやかに、自分の技術が受け継がれたことを喜んで――

「大変ですエイダ・エーデルワイス高等官殿！」

激しい息づかいで駆け込んできた見慣れない軍人に、エイダは答礼するよりも先に水を与えた。

水を一息に飲み干した彼は、自分が伝令《でんれい》であると告げ。

そして――

「第61魔術化大隊が！」

断末魔のような声で、こう絶叫した。

「弟君、エルク・ロア・ページェント様が同行した第61魔術化大隊が――ブリューナ方面カールカエ大樹海にて孤立……魔族四天王直轄の敵軍によって包囲されたとのことです！　衛生兵全隊に辞令、この救援を行えとのこと！　繰り返しますエルク・ロア・ページェント様が――」

§§

かくて、エイダ・エーデルワイスは一路、カールカエ大樹海へと向かう。
孤立無援《こりつむえん》の弟と、その仲間を助けるために。
そしてかの地で。
白い少女は〝彼ら〟と、再会を果たすことになるのだ——

断章

レーア・レヴトゲンの休日

EX episode

その日、レーア・レヴトゲンは久方《ひさかた》ぶりに戦火と無縁の朝を迎えた。

密会のためである。

レイン戦線から馬車に揺られて数日。

到着した最寄りの都市こそ、かの大領主ページェント卿《きょう》が統治する銃後《じゅうご》、人類存亡都市リヒハジャであった。

賑《にぎ》わいの絶えない雑踏の中に立ち尽くし、レーアは頭を抱えてつぶやく。

「……なぜ、こうなった」

戦装束のレーアしか知らない者が、今の彼女を見れば驚愕することになるだろう。

本質的に兇猛《きょうもう》で、冷笑的な態度を崩さず、軍紀どころか服装の乱れすらも許さないような職業軍人たる彼女が、とても簡素であるとはいえドレスに身を包んでいたのだから。

相手方から、極めて市井に寄り添った服装を、と求められた結果だった。

凛として厳格《げんかく》なる普段の彼女はいない。

均整《きんせい》のとれた体付きの上に、エルフの印である長い耳を隠すツバ広の帽子と、心底疲れ切った美《び》麗《れい》な顔が乗っかっているさまは、彼女の忠実なる部下たちからさえ失笑されそうな、一種滑稽な出《い》で立《た》ちだった。

「なぜ、こうなった……！」

絶叫したい衝動に駆られたレーアを、しかし寸前で押しとどめたのは、背後からかけられた柔らかい声だった。

「あ……ひょっとして、お待たせしてしまいましたか？」

ゴキリと首をかたむけ、胡乱な視線を向ければ、紅顔《こうがん》の美少年が立っていた。

彼女は不機嫌さを可能な限り最速で隠蔽《いんぺい》。

表情を取り繕う。

「これは、ページェント様。ご機嫌麗しゅう」

「もう、エルクでいいですってば。ぼくとレーアさんの仲じゃないですか」

そこまで親密な間柄になった覚えはない――などと、言い放つことは許されていない。

エルク・ロア・ページェント。

彼こそ約束された未来においてこの都市を、そして人類が防人としての使命を継承《けいしょう》する、辺境伯の嫡子であったからだ。

重たいため息をつきながら、レーアは少年へと向き直る。

弓も愛用のスコップもないことが、この心持ちを悪化させている原因だと、レーアはこのとき気がついた。

武器がないのは、落ち着かない。

「どうかしました？」

「いえ、別段」

応じつつ、それとなく相手《エルク》を観察する。

少年もまた、普段の貴族らしい服装ではなく、ありきたりな格好をしていた。

じつに街へと溶け込んだ着こなし。

これから潜入調査を行うのだと言われても、不思議とは感じない。

フードの一枚でもかぶれば、一般人ではないと見抜くことは難しいだろう。

何せ、顔以外は声の高い小男にしか見えないのだ。

「はっはっは。ぼくは姉上と違って凡庸な外見ですからね」

「……失礼を」

「いえいえ。率直な物言《ものい》いが、むしろ心地よいです。なかなか皆、胸襟《きょうきん》を開いてくれるわけではありませんから」

「…………」

「それに……レーアさんの隣にいては、誰しも凡夫と見間違えられることでしょう。これは致し方ないことです」

なるほど、これほど険《けん》がある女エルフ、他にはいまい。

妥当な審美眼《しんびがん》だと、レーアは頷く。

「おっかないという意味ではないのですが……言葉というのは、伝わらないものですね」

苦笑いし、首筋を撫でながら少年は続ける。

「しかし、いつまでも突っ立っているのも芸がありません。時間だって惜しいですし、行動しましょう。レーアさん、リヒハジャは初めてですか？」

「はっ。中継基地として通ったことはあります。しかし、残念なことに多忙な身の上ですので駐留経験はありません」

「戦時ですからね……しかし、ならばよかった。ぼくとしてはエスコートできそうで一安心です」

少年は「えへへへ」とうれしそうにして、

「では、お手をどうぞ」

そうして、姫君にでもするように、レーアへと手を差し出してみせた。

「………」

一瞬、キザったらしい仕草に、はねのけてやろうかと本気で考えたエルフだったが。

それで機嫌を損ねられても困ると考えをあらため、ため息とともに彼の手を取った。

こんなゴツゴツした手を握って、何が楽しいのだろうか、貴族の子息《しそく》など引く手あまただろうに、童貞なのだろうか。

そんな言葉は、ひたすら飲み込む。

思慮深《しりょぶか》いレーアは、あまり失言をしない。

手を繋ぐと、少年はふんわりと微笑む。

それがエイダとよく似ているので、レーアは微妙な感情を抱くことになった。

エルクの先導で、ふたりは歩き出す。

「ここらあたりには、市《いち》が開かれているんです。ときにはビックリするような掘り出し物が売られていたりもします」

「偉大なページェント辺境伯のお膝元《ひざもと》とはいえ、目の届かない部分もありましょう。戦中ですし、是非《ぜひ》もないかと」

「……危険物の話ではありませんよ？」

「…………」

合わないな。

少年と自分の相性を、レーアは直感的にそう悟った。

§§

最初に連れていかれた服飾店は、レーアにとって居心地の悪い——エルク曰《いわ》く「かわいい」——ものばかりだったが、次に訪れた魔導具を売る露店《ろてん》は、大いに彼女を惹《ひ》きつけた。

扱っている魔導杖《まほうのつえ》はどれも最新式で、魔術の発動触媒として一級品。

陳列《ちんれつ》の端《はし》に追いやられているが、くすんだミスリル銀のナイフなど、クリシュ准尉が大いに気に入るだろう取り回しの良さが見て取れる。

防御術式が組み込まれたお守り《タリスマン》も、部隊で使っている代物よりよほど良品であるとレーアは目利きした。

あまりに掘り出し物だったため、普段は完全に律している長い耳がピコピコと揺れてしまったほどである。

これを、エルクは見逃さなかった。

「よろしかったらですが、そのタリスマン、プレゼントしましょうか？」

「自分にですか？　ご冗談を」

「いえ、部隊全体へ。些細な出費ですよ。今後のレーアさんや、２２３連隊の活躍を考えるなら」

言うなり彼は、店先の品物を端から買い占めてしまう。

「はい、どうぞ。残りは使用人に運ばせますね？」

「……ドーモ」

レーアはタリスマンを複雑な表情で受け取る。

親の金で奔放に振る舞うロクデナシ――などと、決してレーアは思わない。

ページェント卿の嫡男《ちゃくなん》には、その資格があると、ただ認める。

「次はあちらに行きましょう」

「はっ」

「もう、今日ぐらい堅苦しいのは抜きで！」

「……はぁ」

そんなやりとりをいくつも重ねて、ふたりはあちこちを見て回った。

火酒を買い込めたのは大戦果だったと、美貌のエルフはほくそ笑む。

部下たちを鼓舞するため、有能な指揮官というのは常に報償《ほうしょう》を隠し持っているものだ。

特にドワーフの伍長など、大喜びするに違いないと思った。

干し肉を買いだめできたのも素晴らしかった。

連隊の食糧事情は、いつだって芳《かんば》しくなかったからだ。

「不死身連隊、ですか？」

「はい、自分たちは、どうにもそのような通称で呼ばれているらしく。おかげで、最前線だというのにどうせ死なないだろうと高をくくられ、ろくでもない物資ばかりが送られてくるものでしてね、腐った肉など御免《ごめん》被るのだが」

過酷な塹壕戦において、食事は数少ない娯楽だ。

それを蔑《ないがし》ろにされては、士気が下がってしまうとレーアは嘆く。

「だから、このとおり私財をなげうってでも、少しばかりの〝よいもの〟を握っておくわけです。塹壕に無神論者はいません。神、天使……そして食事。なんでもいいですが、心の支えを人類は求めるわけでして」

たとえば、あなたの姉のように。

レーアがそう告げれば、エルクは困ったような顔で首を撫で。

「姉上は、人ですよ」

「……失言をお許しください」

「いえ」

「ともかく、主計課も、軍本体も、私の懐事情――とくに出費に関しては感知しない」

その程度の羞恥心はやつらにもあると、レーアは黒い笑みを浮かべてみせた。

「というよりも……隊費《たいひ》の上前《うわまえ》をはねるより、よっぽど美味い儲《もう》け話を見つけているようですがな」

リヒハジャ全体を見回して、エルフは確信を強める。

どうにも、市場に出回っているものの質がよすぎると。

「兵站課が横流ししているに銅貨五十枚」

「賭け事はしませんよ。勝てるとき、堅実に勝ちます」

「なるほど、君主であらせられる」

お互い口に出せない策謀を巡らせ合っているのだと理解し、ふたりは笑みを交わした。思ったよりも、気が合うのかもしれない。

やがて、日が暮れ始めた。

一日の終わりに、エルクはレーアを、丘の上の飲食店へと誘う。

夕暮れを眺めながら、ふたりは珈琲とアップルパイを口にした。

「極上の甘味ですな。珈琲も本物だ。飲むのは、いつぶりだったか……」

「景色も良いでしょう。あの夕暮れなど、レーアさんの瞳に劣らない美しさですよ」

「……夕景を美しいと感じる。戦場にはない感性ですな」

日が暮れても、前線では散発的《さんぱつてき》な攻撃が続く。

むしろ奇襲を警戒しなければいけないぶん、神経がすり減る。

エイダ・エーデルワイス。

彼女も、夜には他の職務で席を外す。

２２３連隊にとって、夜は己以外に寄《よ》る辺《べ》のない最悪の時間であり、夕焼けは、その始まりを告げる不吉な光景に他ならなかった。

「……申し訳ありません」

「謝られることではない」

「では、お詫びの代わりに……こちらをどうぞ」

渡されたのは、大きめの紙袋だった。

「これは？」

「約束の品です」

「……は？」

「付け届けをすると、言ったではないですか」

中身を検《あらた》め、レーアは片眉を跳ね上げた。

新品の煙草。

それがぎっしりと詰まっている。

なるほど。どうやらこの少年は、義理堅くも口約束を覚えていたらしい。

煙草の臭いを嗅ぎ、事実を受け止める。

すると、どうしてだかレーアの口元は、かすかにほころんだ。

「ほかにも、できる限りのことはします」

「タダで袖の下を頂ける、というわけではなさそうですな」

「ええ、ぼくは決して、賭け事はしませんので」

根回しは万全。

これから、223連隊には大きな仕事が舞い込む。

そう約束されたようなものだった。

「ところで――どうですか、この街は？」

少年の問い掛けに。

お為《ため》ごかしを言うよりも早く、言葉がレーアの口をついて出ていた。

「よい街ですな。王都と比べても、遜色《そんしょく》ない」

沈みゆく夕日に照らされるリヒハジャは美しく、夜が近づいてなお活気に満ちていた。

「しかし――亜人の息吹《いぶき》はない」

それが、彼女の本音だった。

浮かれたように散財しようとも、鷹の目が曇ることなどありえない。

一日、歩いてみてレーアにはよくわかった。

人々はしあわせそうで、けれど、リヒハジャに亜人は少ない。

いないわけではないが、皆隠れるようにして生きている。そのほとんどがスラムの如き亜人街で。

そして――それですらマシな生き方なのだ。

「強制収容所《マンサーナ・デミ》」

ヒト種が作り出した、亜人の全てを隔離する特別区画。

いつ魔王の手先となるかも解らないという不安が、人々に作らせた種族の垣根《かきね》、断絶の檻《おり》。

レーアにとって最大の目的は、そんなどうしようもない軋轢《あつれき》を破壊することである。

破壊できなくても、ほんの少しでも緩和できれば。

そのために、彼女は命を捨てるが如く、奮戦を重ねてきた。身を尽くしてきた。

レインの悪魔と、呼ばれるまでに。

しかし。

けれども。

思うところは、どうしてもあって――

「……無論、そのような些事《さじ》に関係なく、自分は戦います。人類を守る一兵卒。それこそが職責でありますから」

「では」

少年が。

逆光の中で、氷のように冷たく微笑み、訊ねた。

「では――ぼくのことは、どうですか」

「任務とあらば、どのようにも振る舞いましょう。身辺警護からウブな恋人のふりまで、お気の召《め》すままにどうぞ」

今日この日のように。

部隊の待遇改善をエサに、密会という名の道楽へ付き合わされてなお、レーアの覚悟は変わらない。

同胞たちを救うため、この身の全てを国に捧げる覚悟はとっくにできている。

「…………」

それでも、レーアはほんの少しの疲れを感じて、空を仰いだ。

夕暮れの赤と、夜の藍色が混ざり合う紫色の空。

ゆえに、彼女は見逃した。

少年が、このときどんな顔をしていたのかを。

「なら、姉上はどうです？」

「は？」

予想外の言葉に視線を転じれば、先ほどまでと変わらないエルクがそこにいる。

しかし、彼は同じように繰り返す。

「姉上を、エイダ・エーデルワイスを、あなたは見捨てないと断言できますか？」

「…………」

エルフの頭脳が高速で回転する。

疲れや疎ましさなど忘れろ。

この問い掛けに、考えなしの答えを返してはならない。

言葉を探す。

当たり障りのないものを？　違う。

それは。

「……守らなくてはならない」

ピンと耳を立てて、背筋をまっすぐに伸ばして、彼女は告げる。

「エーデルワイス高等官には、死んでも死なないような強《したた》かさがある。だが、そんなものは幻想だ。まやかしに過ぎない。だから、絶対に守らなくてはならない。この命に代えてでも」

「…………」

「自分は――我々は、彼女を同志だと、〝家族〟だと思っている。かけがえのない朋友であると。ゆえに、絶対に見捨てないと誓えるのだ。……もっとも、本物であるご家族の前で言うには、いささか憚られるわけですがな」

「――――」

最大限の茶目っ気で、ウインクをしてみせたエルフを見て。

少年は、大きく目を見開いた。

それから。

「そう――ですか」

くしゃり、と。

破顔する。

「かっこいいですね、レーアさんは」

笑う。

とても、とてもうれしそうに、少年は顔全体をほころばせる。

……初めて、この少年は本心から笑ったのではないか？

レーアには、どうしてだかそう感じられてならなかった。

彼は、楽しそうに続ける。

「本当にかっこいいです。まるで、いにしえの騎士様のようで」

「お気遣《きづか》いは結構。それに愚直な騎士は、もはやイルパーラル戦線にしかおりますまい」

「なんにせよ、言質が取れてよかった……今日は、とても楽しかったです。ぼくの想い出作りに付き合っていただき、ありがとうございました」

想い出作り。

その言葉が、レーアの眉根を怪訝《けげん》に歪めさせた。

なんだかそれは、これから死地に赴く者が口にするような、不吉な響きを含んでいたからだ。

「ねぇ、レーアさん」

少年は。

「ぼくは、レーアさんが好きです。レーアさんは――」

柔らかな表情で、まっすぐに言葉を紡いだ。

「もしもぼくに何かがあったら……姉上と同じように、助けてくれますか？」

この問い掛けへの答えを、レーア・レヴトゲンは覚えていない。

だが、いずれ返答のタイムリミットがやってくることを。

彼女はなぜだか――知っていた。

§§

このひと月後、レーア率いる２２３独立特務連隊は、地獄のような戦場へと送り込まれ、達成不可能と評される任務へと従事することになる。

けれどこの日、この瞬間。

レーアはまだ、そのことを知らず。

ただ、エルクと談笑を交わしていたのだった――

第五章

取り残された部隊を助けるため、決死行に挑みます！

episode 05

「――傾注《けいちゅう》！」

副長の一声を受けて、２２３独立特務連隊の全員が、直立不動の姿勢を取った。

真新しいスコップを、カツリと地面へ突き立てたレーアは。

一同を見渡して、口元を歪める。

「諸君、どうやら我々は、いつもどおり死地に赴かねばならんらしい。なぁに、こなれたものだろう？」

「ははははは」

「違いない」

「連隊長はユーモアに秀《ひい》でてらっしゃる」

まばらに上がる笑い声に、わずかばかり不敵《ふてき》な笑みを深くしながら、レーアは続けた。

「目標、魔王軍ブリューナ方面軍。目標、カールカエ大樹林中央、ジーフ死火山に敷かれた敵軍本陣。我々の任務はこれを突破し、上層部にて〝失われた大隊〟と判断された第61魔術化大隊、およびそれに同行する民間人を救出することである。副長、地図を」

背後で広げられた地図を一読し、レーアは唸《うな》った。

何度見ても、それは圧倒的に不利な状況を示していたからだ。

不利でなければ、こう言い換えることもできただろう。

――達成不可能な任務、と。

「敵前線司令部は、樹海中央に位置するジーフ死火山に陣取っている。そして、周囲は全て彼奴ら魔族の領域だ。数日前までは警戒網に緩みもあったが、〝失われた大隊〟が潜入工作を行ったことで監視網が活性化。現在は厳戒態勢にある」

副長たるハーフリングが、レーアの意向《いこう》を受けて地図に大きく赤い線を引く。

「これが、現在友軍が形成している半包囲網、確保した塹壕の位置となる。見て解るとおり、樹海のこちら側――前半部のみを取り囲んでいる」

「つまり、あれですかい。そのほかはカバーすらできていないと」

「そのとおりだイラギ上等兵」

巨漢のオーガが、目に見えて顔をしかめた。

包囲の完成していない布陣など、なんの役にも立たないからだ。

「クリシュ准尉」

「はっ」

レーアの意向を受けてクリシュが、樹海をぐるりと回るように、赤い矢印を書き足す。

「回り込もうと思えば、この距離だ。移動中に部隊が全滅する」

「つまり、迂回も陽動《ようどう》も現実的ではない、ということですな」

ハーフリングの准尉が口元を引きつらせるが、レーアは肯定するしかない。

「はっきり言おう。正面突破以外の結論はない。それがどれほど達成率の低いものであってもだ」

ぐっと、連隊にかかる重苦しい雰囲気が密度を増した。

これまで彼らが挑んできた、どんな戦場よりも過酷な地獄。

それが今ぽっかりと口を開け、目の前で待ち受けていることを、このとき全員が理解したのだ。

「なに、たいしたことではない」

されど、レーアは笑う。

不敵に、無敵に、悪魔的に。

問題は些事で、活路《かつろ》はあって、だから自分たちの心は、まったく屈服していないと誇示《こじ》するかのように。

「敵陣は高所に位置し、高台《たかだい》から一方的な魔術投射が可能だ。散開《さんかい》すれば各個撃破、密集すれば高射魔術の餌食となる。塹壕を掘っても無意味だろう。栄光ある英雄殿たちを助けるため、どうやら軍部は我々を捨て駒にしたいらしい」

いつものことですな、とか。

名誉の戦死ですか、二階級特進はありがたいとか。

亜人たちが気丈に笑う。

だから、レーアはやめない。

彼らが振り絞った勇気に応えるため、作戦の説明を続行する。

「喜べ。当日においては友軍が、可能な限り敵軍を樹海内に押しとどめてくださるらしい。ありがたくて涙が出るな。その隙に、我々は正面から突撃。防衛線の悉《ことごと》くを食い破り、孤立している第61魔術化大隊と合流。その後、最大火力をもってして敵司令部を叩き、混乱に乗じて脱出——いや、撃滅《げきめつ》だ。敵を殲滅し、勝利する。これ以外に、勝機生存の路《みち》はない！」

大きく手を振り上げて、無謀な作戦を、さも実行可能だというように粉飾《ふんしょく》し。

彼女は、仲間たちを鼓舞してみせる。

普段ならば、レーアは部下たちを、さらに奮い立たせていただろう。

狂躁《きょうそう》をもって恐怖を麻痺させていたことだろう。

しかし、掲げられた拳は、緩やかに降ろされた。

エルフの特務大尉は、穏やかに告げる。

「今回ばかりは、異議を許す。何か、ある者はいるか？」

「エイダ殿は？」

声は、すぐに上がった。

真剣な眼差しをしたダーレフ《ドワーフ》伍長が、レーアを見つめる。

彼女はひとつ息を吸い、できるだけふざけた調子で応じた。

「我らが白き天使殿は、衣替《ころもが》えにいそしんでおられる。おそらくは間に合うまい」

「それは……残念ですな」

「伍長、気高《けだか》き同志ダーレフ。正直に言うがいいさ。エーデルワイス高等官を巻き込まずにすんで、安心しているとな」

「ははは」

彼女の言葉を受けて、ダーレフは気恥ずかしそうに笑う。

気のいい男の笑みだった。

レーアもまた、内心で同意する。

言うまでもなく、エイダの不在は部隊の戦死率を撥ね上げるだろう。

応急手当の有用性は、レーアたちがその身をもって知っている。

本当ならば、是が非でも同行させたいとレーアは尽力しなければならなかった。

それでも。

「エーデルワイス高等官は、今後の世界に、絶対不可欠な存在だ。こんなクソッタレた地獄に、付き合わせる必要はない」

「…………」

「同胞よ。剛毅果断《ごうきかだん》な盟友たちよ、エイダ・エーデルワイス高等官を、どう考える？　彼女は我らが家族ではないのか？」

「無論！　言うまでもなく！　護るべき家族であります！」

「であれば、これが今生《こんじょう》の別れというのは、どうにも寂しいではないか」

上がる支持の雄叫びをゆっくりと両手でなだめ、レーアは胸の前で拳を握ってみせた。

決意を示し、己が魂を鼓舞するために。

「我々は必ず、彼女と再びまみえる。そのときは精一杯天使に甘え、十分英気を養うことを許可しよう。なんなら秘蔵の酒を振る舞ってやってもいいぞ。私、手ずからだ」

そりゃあいい。

これは楽しくなってきましたな。

やりがいってのは大事なもんです。

それぞれの亜人たちが、それぞれの思いを胸に、レーアの言葉へ賛同し、明日という明確なビジョンをもって、自らの恐怖を塗りつぶそうと躍起になる。

いい部下を持った。

レーアは、心の底からそう思う。

大きく息を吸い込む。胸の内で言葉を選び、静かに吐き出す。

「生きろ――とは言わん」

「…………」

「命を預けてくれ、ともな。だが……心せよ」

エルフの指揮官は、遥か遠方を指し示す。

銃後の地を。

この場が陥落《かんらく》すれば、いずれ戦火に侵略される彼方を。

故郷《ふるさと》を――

「我らが一命は、己がものにあらず！　故郷にて虐《しいた》げられる無辜《むこ》なる同胞一万の、その一生に相当すると知れ」

「――――」

「連隊員諸君。勇猛果敢《ゆうもうかかん》にして死を恐れぬ誇らしき、我が同胞、大莫迦者共諸君《おおばかものども》」

彼女は。

連隊長レーア・レヴトゲンは、告げた。

「諦めるな」

「応！」

返答の感触は上々。

意気軒昂にして士気高揚《しきこうよう》。

これ以上ない仕上がりをもって、彼らは。

命知らずの亜人混成部隊は、歩を進める。

「征くぞ」

振り下ろされるスコップ。

かくて、２２３独立特務連隊は、最前線と向けて出立《しゅったつ》した。

それは、彼らが経験したこともない、常軌を逸した規模の戦いへと続く、血まみれの歩みだった

――

§§§

剣林弾雨。

空からは槍が降り注ぎ、地に埋設《まいせつ》された時差式爆裂術式が味方を吹き飛ばす。

安全地帯と思って飛び込んだ塹壕は、高射魔術によって血と肉と骨をすりつぶし、泥と混ぜ合わせたものへと変貌《へんぼう》させる。

レイン戦線ブリューナ地方は、この世の地獄。

だがその先へ、なおも先へと進まねばならない兵士たちがいた。

「樹海の掩体《えんたい》、遮蔽物《しゃへいぶつ》を警戒しろ！　魔族《やつら》は隠密行動を得意とするぞ！」

包囲網の内側へと飛び込んだ２２３連隊は、ひたすらに北征を開始。

目標は樹海中央、敵本陣ジーフ死火山。

鬱蒼《うっそう》と茂る背の高い樹木、いびつな形をした奇岩《きがん》、天然の洞窟……その全てから、一瞬後には敵兵が飛び出してくるかもしれない恐怖。

そんな度し難い脅威に神経をすりつぶされながら、されど彼らは最速で行軍を続ける。

側面から飛来する、無数の飛礫《つぶて》。

投石魔術による制圧攻撃を、速度を上げることでかろうじて躱《かわ》す。

これが雷撃魔術ならば、回避が間に合わず、多くの死傷者が出ていただろう。

周囲は全て樹海。

ゆえに魔族は、延焼《えんしょう》の可能性を考慮して火種となる術式を意図的に絞っているのではと、レーアは推測。

「ならば、速度だ」

彼女は横合いから飛び込んできたゴブリンをスコップの一撃でたたき伏せると、全軍へと指示を飛ばした。

「挟撃《きょうげき》を恐れるな！　進め、進め！　前方へと脱出するのだ……！」

もはや背後から狙われるかもしれない、などと考えていられる猶予《ゆうよ》はない。

ただ最速で、この樹海を踏破するのみ……！

軍靴が降り積もった落ち葉を、枯れ木を、木の実を踏み砕き。

殺到する敵軍の魔術が徐々に連隊の命を削る。

それでも、前へ。

なんとしても、前へ。

「前へ！」

視界の悪い森を、ひたすらに駆け抜ける。

やがて——視野が、大きく開けた。

「正面に火力を集中！　押し通れ……！」

ジーフ死火山が麓《ふもと》。

そこに陣を張る魔族たちが、連隊へと向かって雨あられと魔術を降らせる。

「ははは！　雨の中で戦っているぞ！」

レーアの哄笑。

攻勢魔術が驟雨のように降り注ぐからレイン戦線。

その噂が、まことであると証明された瞬間だった。

「返礼だ！」

応射を行いながら、ひとつ目の陣地へと連隊は食らいつき、食い破る。

一瞬で倍増する、敵による攻撃の手数。

うち一発が、レーアのこめかみを掠《かす》め、彼女は意識が遠くなるのを感じた。

「連隊長……！」

「――わめくな副長」

聞こえていると、彼女は返し。

浮き上がっていた足を、しっかりと地面につけ。

踏みしめる。

この場に白き少女がいれば、自分はすぐさま塹壕へと投げ入れられていたことだろうと、レーアは苦笑の形に口元を歪めた。

「笑っておられる！」

「連隊長殿は不死身！」

「ならば我らは続くのみ！」

「この戦場に、天使と悪魔の加護ぞあらん！」

お互いを励まし合いながら、彼らは進む。

それでも、状況は好転しているとは言えない。

「ここで、切り札を使うか？」

刹那の自問自答《じもんじとう》。

レーアは否と判断。

まだだ、とっておきのジョーカーは二度しか使えない。

だから、命じるしかなかった。

「進め、最速で！　我らに転進はない！」

「応！」

進む。進む。

前へ。前へ。

陣地を次々に突破し、襲いかかる魔族の爪牙《そうが》をものともせず、たとえ魔術で仲間が吹き飛ばされようとも立ち止まることなく。

223独立特務連隊は、己の命だけを糧にして戦線を押し上げていく。

そして——

「連隊長！　前方50！」

「よくやった！」

副長たるクリシュ准尉の叫びが、レーアの口元に不敵な笑みを飾らせる。

いた。

いたのだ。

ジーフ死火山の山肌から突き出た巨岩の陰。

たまさかにできあがった魔族たちが配置の空白。

そこに身を押し込み圧《へ》し合うようにして生存している人類を、レーアたちはついに発見したのである。

全速力でその場へと雪崩《なだ》れ込《こ》み、彼女は確認の声を上げた。

「こちら223独立特務連隊連隊長レーア・レヴトゲン特務大尉！　貴官らの所属を願う！」

「わ、我々は――第61魔術化大隊……まさか、あなたがたは――」

「当方は貴官らの救出任務を帯びている！　安心しろ、友軍だ……！」

「――――」

わっと、歓声が上がった。

それは死を覚悟してなお恐怖に克《か》てなかった者たちが、地獄の中で一縷《いちる》の光明《こうみょう》を見いだしたとき自然に放つ、生への渇望《かつぼう》と喜びそのものだった。

感激から連隊員たちに飛びつき、ハグする者も多数。

このときばかりは、レインの悪魔は天使だった。

「代表者を願う！　すぐに脱出の算段《さんだん》をつけたい！」

「わ、私だ……！」

肩口から大きく出血した老兵が、足を引きずりながら現れた。

レーアは舌を巻く。

自分たちの戦果を盗み取ってきた部隊だと侮《あなど》っていたが、老爺《ろうや》のまとう雰囲気は歴戦の猛者《もさ》のそれだ。

これならば、勝ち目があるかもしれないと、彼女は算盤を弾く。

「バウディ・ドレッドノート大佐だ」

「レーア・レヴトゲン特務大尉であります」

「ん……なんだ、亜人《デミ》か」

反射的にレーアは拳を握った。

振り抜かれたのは、横合いから放たれた金棒。息を呑む老人の眼前を抜けて、鉄塊《てっかい》は空を切る。

「自分たちは人類であります！　あなたがたと轡《くつわ》を並べるために来た、人類であります！」

叫んだのは、イラギ上等兵。

階級的には、即座に処罰《しょばつ》もあり得る暴挙《ぼうきょ》。

だが――頭を下げたのは、バウディ・ドレッドノートのほうだった。

老人は、部隊の長としての器量を示した。

「すまなかった。貴官らが来てくれなければ、我々は全滅――いや、皆殺しにされていただろう。恩人に対して無礼《ぶれい》を働いた、謝罪をさせてほしい」

「だそうだ、イラギ上等兵。貴様にはあとで先陣を切ってもらう、覚悟しておけ」

「はっ！」

敬礼し、下がっていく部下を安堵混じりのため息で見送り、レーアは本題を切り出す。

「ドレッドノート大佐殿、状況はご理解されていますか？」

「苦々しいまでにな」

彼女たちは、極短時間で情報のすり合わせを行った。

この戦いが、極秘裏の任務であったこと。

はじめから、持久戦を見越した装備が与えられていたため、今まで生存できたこと。

民間の協力者として、記者と勇者に準《じゅん》ずる者たちが同行していること。

何より――

「あの方を守るために、我々は」

「あの方？」

レーアが首をかしげたとき、兵士たちがざわめいた。

人混みを掻き分けて、薄汚れたローブを目深にかぶった人物が、レーアの前へと飛び出してきたのである。

小柄な、それこそ少年と言ってもいい体付きの男を見て。

レーアは。

「まさか――」

「本当に、助けに来てくれましたね――レーアさん！」

フードが外される。

現れたのは、柔らかな赤毛。

そして、理知を内包した鳶色の瞳。

「エルク・ロア・ページェント⁉」

「はい、約束を守ってくれて、ぼくは本当にうれしく思います！」

辺境伯が実子。

紅顔の美少年。

エルク・ロア・ページェントは、こんな戦場の真っ只中で、ふんわりと笑ってみせた。

§§

「最強の一、絶技《ぜつぎ》を極めた魔族四天王は、絶対に倒さなくてはならない怨敵《おんてき》でした」

だから一計を案じたのだと、エルクは全てをつまびらかにする。

「占星術師《うらないし》の言葉は本当です。しかし、陛下に勇者を選抜するよう唆《そそのか》したのはぼくです。魔王軍の通信網を一手に担う、怨樹のトレントを戦場に引きずり出す。その撒《ま》き餌《え》とするために」

エルクの企みどおり、勲功《くんこう》を焦った冒険者たちは、我先にと大樹海へ集結。

度重なる領域侵犯《りょういきしんぱん》に苛立ったトレントは自ら出陣。冒険者たちを狩り立てた。

が、エルクが用意した回復術士たちにより勇者候補たちは一命を取り留め。

逆にトレントは、波状攻撃を受けて戦闘能力を削減《さくげん》されていった。

彼が幾重にもサポートを用意していたからこそ、勇者候補たちは容易に侵入と離脱、破壊工作へと専念できたのである。

「この主目的は、トレントの能力を分析することでした。勇者に準ずる力を持った冒険者たちの奮闘により、十分に情報が集まったところで、次は無理矢理にでも軍の最大戦力を動員する方策を考えなくてはならなかったのです」

その手段を聞いて、レーアは絶句することになる。

「ぼく自らが部隊に同行することで、軍部が面子《メンツ》を懸けて戦力を投入する状況を作りました。人類の要であるページェント辺境伯の息子をみすみす野垂れ死にさせたとなれば、いかに軍上層部であっても、その発言権は壊滅的になる」

空恐ろしさに、レーアは震えた。

彼はこう言っているのだ。

万が一自分が死んでいても、父親の発言権が増すだけで問題なかったと。

「ぼくは賭け事はしません。絶対に事態が好転するように画策《かくさく》しました。人事課にはずいぶん無理を言って、いろいろと根回しをして、第61魔術化大隊を派兵することには成功します。しかし、これだけの戦力であっても、確実にトレントを倒し得るとは言えません。そこで、自分の目で戦場を確かめ、真に信頼を置ける部隊を探しました」

それが、223連隊だったのだと、少年は語る。

「ここに、現状用意できる最大戦力が集結したのです。今こそトレントを討伐するとき！　怨樹さえ倒すことができれば、特殊な植物を用いた魔族の指揮系統は壊滅する。個でありながら戦況を変えうる魔族の一角が減るのです。そうなれば、人類の勝ち目が見えます。魔族領本土への道が開けるのです！」

エルクの長広舌を最後まで聞き終えて。

レーアは。

エルフの連隊長は。

「クソガキが」

確かな意志のもと、左手を振り抜いた。

パーンと。

乾いた音が、爆音轟く戦場にむなしく響いた。

「……え？」

「え、ではない。よく聞けエルク！」

唖然とするエルクの胸ぐらを掴みあげ、レーアは唾を飛ばして喝破《かっぱ》する。

「貴様が死んだら、家族は悲しむぞ！」

「――――」

目を瞠《みは》る少年。

何よりも軍紀を重んじるエルフが、みずから上役へと暴力をふるったのだ。

そうまでして、伝えたいことがあったのだ。

「当然、エイダ・エーデルワイス高等官もだ」

「────」

「……ふん」

レーアはそれ以上続けることなく、投げ捨てるように彼を解放した。

そして。

「……ご無礼を。軍法会議でもなんでもご随意《ずいい》に。ですが」

「いえ、目が覚めました」

赤く腫《は》れた頬を撫でて、少年は苦笑する。

取り繕うことをやめた、若者としての表情だった。

「姉上と父上さえ生きていればと考えていましたが……そっか、悲しみますか」

「おそらく」

「だったら──生き延びなければなりませんね」

「そのために、我々がいますので」

不敵にレーアが笑う。

少年も、納得したように頷く。

様子をうかがっていたドレッドノート大佐が、咳払《せきばら》いをした。

「ゴホン！　話はお済みに？　では、どうやってトレントを討伐し敵司令部を押さえるかだが――」

「おい、おいおいおいおい！　俺たちはどうなるんだよドレッドノートさんよぉっ⁉」

突如大佐を押しのけて、ひとりの男が飛び出してきた。

煤けてひしゃげた鎧を纏い、腰に一対の剣を差した風采《ふうさい》の上がらない男。

「何者か」

「うるせぇ！」

レーアの誰何《すいか》を一蹴し、男はわめく。

その瞳には、狂気と恐怖が色濃く滲んでいた。

彼は、背後にふたりの仲間を引き連れながら、レーアたちへとにじり寄る。

「俺たちゃ勇者なんだぜぇ？　無事に、生きてここから連れ帰ってもらえるんだろうなぁ、おい⁉」

ほとんど錯乱《さくらん》している彼の言葉に。

レーアが冷たい返事を投げかけようとした。

その刹那だった。

「――ッ、全員、伏《ふ》せろおおおおおおおおおお‼」

クリシュ准尉が、ありったけの声量で警告を放った。

間髪《かんはつ》をいれず、衝撃。

爆風。

轟音。

「────────」

音が消え、視界が消失し、世界が──揺れた。

元より巨大なトレント種において、なお抜きん出た巨体を誇る一大個体。

魔族四天王、怨樹のトレントが出現し。

今の今までレーアたちが潜んでいた地帯を、拳ひとつで根こそぎ破壊したのだ。

絶技。

最強の一。

この事実を、レーアが知るのはもう少し後のことになる。

なぜなら彼女は──

「エルク……！」

少年を守るために。

自らの身を、犠牲にしたのだから。

§§

ゴーン……ゴーン……ゴーン……

やけに遠くで、ガレキの崩落《ほうらく》する音が残響《ざんきょう》している。

レーアの混濁《こんだく》した意識は、それだけを感じ取っていた。

木人にして巨人。

首が痛くなるほど見上げてなお、全貌《ぜんぼう》がつかめない巨体の魔族。

四天王が壱。

木製の巨躯《きょく》と、無尽蔵の魔力によって——ただ腕力だけで戦略魔術に匹敵する大破壊を招く災害そのもの。

ジーフ死火山の斜面を抉り抜き、一帯ごと破砕《はさい》せしめた大暴力の化身。

怨樹のトレント。

その攻撃が直撃した。

したはずだと、レーアはぼんやり考えて。

胸の内側から、熱く鉄臭いものが込み上がってくるのを感じた。

「ゴハッ⁉」

失ってはならない熱量。

鮮やかな血液が、食道を逆流しあふれ出す。

致命傷——には、少し遠い。

胸ポケットにしまっていたタリスマンが、砕けてこぼれ落ちる。

なるほど、これに命を救われたかとレーアは笑おうとして、また血を吐いた。

「————」

膝をつくわけにはいかない。

汚れた口元を拭うこともできない。

彼女の目の前には、守るべきものがあった。

両手を広げ、彼女がかばうのは。

呆然と自分を見上げる、怯えたエルクで。

苦痛が、痛みが、彼女を現実へと引き戻す。

「があああああああああああ……っ！　風霊結界‼」

乖離《かいり》していた時間の流れが、ここに来て追いつく。

トレントによる局地的な大破壊が炸裂した直前、レーアもまた、切り札を使っていたのだ。

風霊結界《ゴーエディアスの盾》。

発動と同時に、連隊と大隊の兵士全てを被《カバー》うするほど、とてつもなく広大な白く濁った壁が、レーアの背後へと展開された。

己が魔力を最大放出し、周囲の大気をコントロールする彼女の絶技。

超高密度に圧搾《あっさく》された空気の壁は、鉄を遥かに上回る強度と靱性《じんせい》をもって、トレントの埒外暴力を紙一重で凌《しの》ぎ――

そして今なお、防ぎ続けているのだ。

しかし……代償《だいしょう》はあまりに大きかった。

繊細《せんさい》な制御を要求される風霊結界の連続行使によって、彼女の神経系は悲鳴を上げている。

本来なら一瞬、戦場で敵の魔術をそらすために発動するものなのだ。

それを長時間発動し続け、戦略魔術級の攻撃を凌ぎ続ける。

負担は、尋常なものではない。

トレントが結界を乱打するたび、軋むのはレーアの総身だ。

眼窩《がんか》から、鼻腔《びくう》から、耳孔《じこう》からも血があふれ、骨は拉《ひしゃ》げ、筋肉は音を立てて断裂を始める。

当然だ。

事実上彼女は、背負った盾で大爆発を受け止めているに等しいのだから。

そんな彼女の状態など知ったことではないと、トレントは攻撃の手を緩めない。

最悪の暴力を発露し続ける。

頭が焼け切れるようなコントロールを必要とする魔術を、一瞬たりとも気を抜くことなく展開し続ける苦痛は、もはや常人ならば発狂していても不思議ではないほどだった。

やがてレーアの肉体は、魔術の行使に耐えかねて、血煙《ちけむり》を上げながら崩壊を始める。

それでも、彼女は血まみれの歯を食いしばって耐える。

命を燃料に、魔術を維持し続けた。

「なぜですか？」

なぜという少年の問い掛けを、エルフは力に変える。

「連隊長！」

同胞たちの悲痛な叫びを、強さに変える。

「なぜ？」

口元を無理矢理につり上げて、やせ我慢の笑みを作り、彼女は答える。

「約束したからだ」

あの日、あの場所。

リヒハジャでの密会で交わした約束を、レーアは今しがた思い出した。

自分はたしかに、この少年を守ると誓ったのだ。

その姉と、同じように。

「だから――」

折れない。

不屈の闘志が、レーアの碧眼を鬼火《ほのお》に変えた。

「あああああああああああああ――！」

振り絞るような雄叫びとともに、彼女は魔力を爆発させる。

弾け飛ぶ大気の障壁が、殴りかかろうとしていたトレントの体勢をわずかに崩す。

波及《はきゅう》する突風。

周囲の魔族たちが吹き飛ばされ、一時的な行動不能状態に陥る。

「レーアさん……！」

少年の叫び。

涙をボロボロとこぼしながら、自分に縋り付こうとするのは次代の防人。

その顔の情けないことといったらない。

「ああ」

まったく、しゃんとしてほしい。

仕事はした。同胞たちに顔向けができるぐらいの働きはした。

だから、これでいいのだ。

自分の役目は、ここまでだ。

「…………」

けれど。

けれども。

「……――」

決して、レーアは死にたがりだったわけではない。

涙ながらに自分の名前を呼ぶ少年が、仲間たちが視界に入り、彼女は思った。

思ってしまったのだ。

レインの悪魔と恐れられたエルフが、初めて。

生きたい、と願った。

だからエルフは、仰向《あおむ》けに倒れ伏しながらも、震える手を空へと伸ばして――

「『彼女は私に手を伸ばし――私は拙速の手当を施す《ファースト・エイダ》！』」

伸ばした手が、掴まれる。

続いた激痛こそが、レーアの意識を、命を、今度こそこの世に繋ぎ止めた。

咄嗟《とっさ》に噛み殺した悲鳴が、あえぐような声となって漏れ出たとき、温かなものが胸に触れる。

それは、白。

純白にして潔白の手。

全てを助《たす》く天使の御手《みて》！

「コ・ヒール！　特務大尉殿、意識はありますか！」

「――は」

「出血多数、自発呼吸あり、意識を確認。四肢の麻痺はなし。外傷数多《あまた》。これより処置を始めます！」

「ははは」

笑った。

レーアは、心の底から笑った。

なぜならば。

なぜならば！

「諦めないでください。絶対にその命、私が繋ぎます……！」

戦場の天使。

来られるはずがない救い主。

純白の衣装を身に纏ったエイダ・エーデルワイスが。

――無敵の表情で、応急手当を施していたからである。

§§

「なぜ、貴官が……」

震える声で問えば、エイダは相変わらずのまっすぐさで答えてみせる。

「助けるために」

「――――」

「けれどひとりでは、ここまで来ることはできなかったでしょう。安心してください、特務大尉殿。

私は、ひとりではありません」

少女の言葉に、レーアは目を見開く。

ようやく焦点が定まってきた彼女の瞳に、戦場の有様が映ったからだ。

地に蹲《うずくま》り、うめく者たちがいた。

倒れ伏し、痛みに叫ぶ者たちもいる。

そんな彼らを――助け起こす存在があった。

純白の衣装に身を包み、杖に巻き付く赤い蛇の紋章を背負った者たち。

彼らは倒れた兵士の元に駆け寄って、呼吸を確かめ、意識を確認し、止血をして、比較的安全な場所へと引きずっていく。

これまでずっと、エイダが繰り返してきたことを。

戦場医療を。

応急手当を行うその一団こそ。

「〝衛生兵〟――今より運用される、新たな兵科です。皆さんを助ける、命の守り手です」

「貴様が、貴様が連れてきたのか、エーデルワイス高等官」

「はい。応援の兵士さんたちも一緒です。衛生兵は急造ではありますけれど、皆さん立派にやってくれています。だから！」

だから諦めるなと、少女は言った。

「――――」

瞑目。

然るのち、大きく深呼吸。

肺臓《はいぞう》を満たすのは、戦場特有の泥濘と、血と小便と煤煙《ばいえん》が混じった臭い。

レーアの茫洋としていた頭脳が、それを貪って急速に覚醒する。

「クリシュ准尉！」

「はっ！」

トレントと戦っていたハーフリングの副長は、彼女の一声へ即座に応じた。

「現状を報告せよ！」

「負傷者多数！　敵兵は陣地を立て直しつつあり！　なれど我ら223連隊、ここに意気軒昂！

問題などありませんぜ！」

「よし」

レーアは頷く。

信頼できる部下が、同胞がそう言うのだ、信じるしかない。

彼女は立ち上がる。

ぐらりとふらつき、両脇を支えられた。

右をエイダが。

左をエルクが、支えていた。

「エルク殿」

「すみません、レーアさん。ぼくの、ぼくのせいで――っ」

レーアはそっと手を伸ばし、少年の頭を撫でる。

初めて触れる頭髪は、とても柔らかで、手袋の上からでもそれが解った。

一瞬で砕けてしまいそうなか弱さ。

エルクが生きていたことが、レーアにはどうしてだか、とてもうれしかった。

「エルク殿、やつについて知っていることを、教えてくださいますな？」

「どうするつもりですか」

「無論――討伐します」

ニヤリ、と。

レインの悪魔が、不敵な笑みを口元に浮かべる。

§§

伝えられた作戦を、第61魔術化大隊の生き残りたちは聞いていた。

衛生兵たちによって負傷の手当を受け、ひとり、またひとりと立ち上がりながら、彼らは動き出す。

……そして、もうひと組。

作戦の内容を聞いていた者たちがいた。

烈火団である。

彼らは既にボロボロだった。

目も当てられないような惨《みじ》めな格好で、どうしようもないような顔つきをしている。

魔術化大隊を危機に晒したことで、正当な怒りや憎悪、罰則《ばっそく》をぶつけられていたからだ。

「……ドベルクよぉ」

「なんだぁ、ガベイン」

「ドベルク」

「ニキータまでかよ」

ふたりが何を言わんとしているか、ドベルクとて解らないわけではない。

このままでは逃げ帰ることもできないし、無事に戻れたとしても処罰を受けることは明らかだ。

けれども。

ブルブルと手足が震えて、言うことを聞かない。

「俺たちは、しょせん勇者じゃなかったんだぜぇ。だったらよ、だったらよぉ」

「悔しくないわけ？」

女魔術師の言葉に、ドベルクは激高した。

「悔しいぜ！　腹が立ってるんだよ！　傷ついてるさ、見て解るよねぇ！　ふざけやがって……！」

「…………」

「はらわた煮えくり返ってこれ、仕方ないんだなぁ、ほんと！　けどよぉ、けどそれはよぉ」

それは、魔族に対してではない。

仲間にも、人類に向けた感情でもない。

「このまま情けなく俺たちが退場ってのが、ちっとも納得いかないんだよねぇ……！」

だから。

「我が輩たちも、やろう」

「今度こそ上手くいくわよ」

「…………ああ、やってやるさぁ、くそったれが！」

そうして、烈火団は立ち上がる。

きっと初めて、冒険者としての意地を示すために。

§§

「全隊、撃ち方はじめ！」

「撃ち方はじめ！」

レーアがエルクの情報を基に立案《りつあん》した作戦とは、次のようなものだった。

まず、２２３連隊の総力を結集し、トレントの動きを封殺《ふうさつ》する。

地面を抉って飛来する太い根や、枝による攻撃。

これはイラギ上等兵を筆頭にした突撃隊が防ぎ切り、大規模攻撃に移行できないよう、行動の制限を行う。

その隙に、残りの部隊員が山頂へ向かって駆け上る。

「エルク殿、それは間違いないことなのですな？」

「はい、調べはついています。怨樹のトレントは、不死身ではありません。殺せます」

「ならば……ダーレフ伍長！」

「応！」

次いで、高地を速やかに制圧し、準備を整えたドワーフ――工作兵たちが、酩酊魔術《ドランク》を多重発動。

「たちこめる膨大な酒気は山肌を伝ってトレントまで滑り落ちる。トレントの足下は、先ほどの大破壊で窪地《くぼち》となったからだ」

文字どおりに山を抜くほどの一撃が、ここへ来て意味合いを反転させる。

この地形こそ、勝利の鍵だった。

すり鉢状に整形された山の中腹に、酒気はどんどんたまっていく。

それはトレントにこそ効果は薄いが、着実に魔族たちの動きを滞《とどこお》らせる。

「酒気《これ》が一定量に達したときが勝負だ。ドレッドノート大佐率いる第61魔術化大隊と、エーデルワイス高等官、貴様が伴ってきた援軍。その全ての火力を彼奴に集中！　さすれば！」

エイダとエルクのふたりに支えられながら、レーアは不敵な笑みを浮かべ、下唇を舐めた。

一《いち》か八《ばち》かの賭けだ。

木人は火に弱い。

けれども、怨樹のトレントともなれば、多少の火炎では焦げ目をつけるのがやっと。

「ならば、膨大な火力で、一気呵成《いっきかせい》に焼き尽くすしかない。そのためには、酒気」

「はい、アルコールはよく燃えますから」

「そうだな、エーデルワイス高等官」

束ねた酒気に引火させ焼き尽くす。

それが、死中にてレーアが見いだした作戦だった。

「しかし、不思議なものですね」

ぽつりと、エイダがつぶやく。

その視界の中では、彼女の薫陶を受けた衛生兵たちが、戦場を駆けずり回りながら負傷者たちを助けている。

「剣林弾雨の最前線。こんな光景、考えもしませんでした。ここに……戦場に来るまでは……」

エイダの胸に去来するのは、パーティーを追放されたあの日のこと。

そこで出合った、運命の広告。

彼女は未だに、その文面をそらんじることができた。

「『求む回復術士！　対魔族戦線にて後方勤務あり。欲するは危難の戦場にて傷病兵を救う慈愛と、激務に耐えうる健全な肉体、および献身。治療を行える者には即日、特例的軍属待遇（下士官相応の給与、権利、三食付き）を保障。身分による貴賤なし。国家の礎たる兵士を救う名誉のみあり。なお、最前線勤務を希望する者には、生還ののちささやかなる誉れと報償を与える』」

「――――」

それを聞いて、レーアは驚いたような顔をした。

そうして急に、声を上げて笑い出す。

「なんですか、特務大尉殿」

「はーははは！　貴様、あの募兵広告を読んでレイン戦線にやってきたのか？　はははは！」

「大切な想い出なんですよ？」

ぷくりと頬を膨らませるエイダを優しく宥めて。

レーア・レヴトゲンは、いたずらっ子のような顔でネタばらしをした。

「その広告を考えたのは私だ」

「は――？」

硬直するエイダ。

もっとも、その草稿をだがなと続けるエルフ。

「しかし、そうか。我々は、出会うべくして出会ったのか。縁は異なもの味なものか。あははははは！」

ひとり呵々大笑するレーアに、納得のいかない面持ちでふくれっ面を晒すエイダ。

そんなふたりを、エルクはただひたすらに、うれしそうに見つめて。

「……っ。いけません、レーアさん！　やつが、トレントが、再び大規模破砕攻撃に出ようとしています！」

「何⁉」

警鐘《けいしょう》を鳴らすエルク。

たしかに、大木人は223連隊の妨害を突破し、拳を天高く振りかぶっていたのだ。

「誰か！　……いや、もはや部隊に余裕はない！　私がやるしか――」

「――そいつは最後までとっておくんだなぁ、軍人さんよぉ！」

大怪我を押してレーアが最後の切り札を使おうとしたとき、三つの颶風《ぐふう》が、彼女たちの横を駆け抜けた。

それは、ボロボロの鎧に身を包んだ、女魔術師と重斧戦士と。

「この大戦《おおいくさ》、勇者ドベルク・オッドー様がいただいた……！」

双剣士が、走る。

「ありったけの拘束魔術を放つわよ……！」

ニキータが後先考えない魔術の連続詠唱で、山に生える樹木を急成長させ、トレントの四肢を縛る。

「雑魚は我が輩に任せるのであーる！」

行く手を遮る魔族たちを、ガベインが長斧にて薙ぎ払う。

その隙を、男は見逃さない。

「行くのである、ドベルク！」

「行きなさいよ、ドベルク！」

「あたぼうよぉ！」

駆け抜け、地を蹴り、跳躍。

両手に構えた刃を、身体の前で大きく交差させ、ドベルク・オッドーは魔術を発動する。

「烈火双翼斬……！」

間に合わせの武器に、炎が宿る。

「……っ！　第61魔術化大隊各員、攻撃を合わせろ！　勝機をこぼすな！」

ドレッドノート大佐の号令一下、彼の部下たちも死力を尽くす。

だが。

「ぐはっ⁉」

トレントが拘束を引きちぎり、全身にて周辺を薙ぎ払った。

その直撃を食らい、双剣の片割れが砕け散る。

彼本来の武具であれば耐えられたであろう一撃は、最悪の場面で決定打となってしまう。

ドベルクの右腕は無惨にへし折れ、血をまき散らし。

彼の顔は苦痛に歪んで、鼻水が、涙が、よだれが、ボタボタとこぼれ落ちて。

されど、それでも。

「まだなんだよねぇえええええ、これがああああああああああああああああああ‼」

満身創痍《まんしんそうい》のドベルクが、咄嗟の判断で刃をトレントへと向かって投擲《とうてき》。

それは、あたかも奇跡のように。

先の戦いで彼がつけた、一条の傷へと吸い込まれ――

「一斉射！」

ほんのわずかにトレントが硬直した刹那、火炎魔術が殺到する。

大爆発を起こす一帯。

吹き飛ばされる烈火団たち。

それを、白き少女はたしかに網膜へと刻んで。

「征け」

彼女の背中を押したのは、他ならぬレーア・レヴトゲン。

少女は頷き、駆け出した。

§§

「い、いやね、か、勝っ、たのに……」

「我が輩、も、いや……で、ある」

「俺だって……よぉ……」

倒れ伏した烈火団の三人は、息も絶え絶えに訴える。

「「「死にたくない」」」

泣きながら、惨めったらしく絶望しながら、自分たちの身体が冷たくなっていくのを感じていた。

死。

目前に迫るそれは、ゆっくりとおしまいの鎌《かま》を振り上げる。

もうダメだと、ドベルクが意識を手放しかけたとき。
何かが、死のイメージを消し飛ばした。
白い。
否――それは潔《しろ》き輝きで。
「しろい、天使……？　ぎゃあああああっ⁉」
突然襲ってきた痛みに悲鳴を上げるドベルク。
ニキータも、ガベインも、続いて絶叫する。
折れていた骨が伸ばされ、引き裂かれていた皮膚が無理矢理に圧迫される感覚。
「――ああ」
だけれど、どこか懐かしい感覚《いたみ》。
それは、烈火団こそが、最も長い間経験し、無償で享受《きょうじゅ》してきた献身の形。
彼らに施される医療の名は〝応急手当〟。
命の瀬戸際にて、明日への時間を繋ぐ術理。
「ああ……！」
ドベルクの双眸から、自然と涙がこぼれ落ちた。
天使が、実像を結んだ。
かつての仲間が。
エイダ・エーデルワイスが、そこにいて。

「なんで……なんでおまえが、俺たちを助けるんだよ……」

「……当たり前です」

ドベルクの心底からの疑問に、白い少女は当然だと答える。

「皆さんの命は、絶対に繋ぎます。なぜなら――私が今ここに立っていられるのは、皆さんが……烈火団が私を拾ってくれたから、なのですから」

「――――」

もはや、ドベルクたちに言葉はなかった。

エイダがその小さな身体で三人を担ぎ上げ、引きずりながら戦場をあとにするときも、むせび泣くことしかできなかった。

ひたすらの後悔とともに、彼らは自らたちが犯した過ちを悔い改めて、謝罪の言葉を繰り返す。

烈火団は、触れたのだ。

清廉《せいれん》なる、少女の魂の輝きに。

§§

そうして、激動《げきどう》たるジーフ死火山攻略戦も、ついに終結《しゅうけつ》を見ようとしていた。

燃えさかり、暴れ回る怨樹のトレント。

だが、未だその生命力は途絶えない。

「レーアさん……？」

「ああ、大丈夫だとも。そこで見ているがいい、私の職務《しごと》を」

エルクから離れ、美貌のエルフは弓を構える。

つがえるのは魂の矢。

最大の切り札。

周囲の友軍が——白い少女が仲間を抱え——後退するのを見届けて、レーアは矢を引き絞った。

「風霊結界展開——第壱小鍵完全開放——風よ、我が命の燃焼を篤《とく》と視《み》よ」

極限まで圧縮された空気は、白を通り越して金色《こんじき》の輝きを纏う。

愛すべからざる黄金《レインの悪魔》は。

そして——魔術《矢》を放つ。


「天空晴嵐舞《レヴトゲン・テウルギア》‼」


戦場の音が、全て切り裂かれた。

風を、空間を、世界を置き去りにして飛翔した矢は。

狙いをあやまたず、トレントの直上にて完全開放。

黄金の竜巻となって、山肌を流れる酒気、燃えさかる炎を取り込んで、巨大な火焔《かえん》の渦と化す。

『————』

過給《かきゅう》される酸素、気化したアルコールの爆発力、燃焼によって発生する急激な上昇気流。

輻射熱《ふくしゃねつ》と急激に変化する気圧は、対象を決して逃さぬ大気の檻。

それすなわち一切を灰燼《かいじん》に帰する〝火災旋風〟！

遠巻きにしてなお肌を焼く、轟々たる火焰のうねりの中。

人類の決死軍は、たしかに。

たしかに魔族四天王の断末魔を、聞いたのだ。

「ふう……」

大の字に倒れ伏したエルフは、ポケットを漁《あさ》る。

真新しい煙草を取り出すと、飛んできた火の粉で点火して一服。

美味そうに紫煙を吐き出すと、

「我々の、勝ちだ」

ニッカリと笑い、そのまま意識を失ったのだった。

閑章

そして烈火団は

EX episode

後日のことである。

ドベルク・オッドーを筆頭《ひっとう》とした烈火団は、引け目を感じながらトートリウム野戦病院を訪れていた。

特別に人払いがされた応接室で、彼らは出されたお茶にも手をつけず、落ち着かない様子でお互いを見やる。

「あいつ、なんでこんなとこで働いてるんだ……？」

「知るわけないでしょあたしが……」

「我が輩、どうにも居心地が悪いのであるが……」

悪評を聞きつけた者が病院関係者にもずいぶんいたらしく、トートリウムを訪ねた時点で、烈火団は敵意の眼差しを四方八方から向けられていた。

古城全体が、まるで針のむしろのようだと、ドベルクは肩身が狭い思いをする。

「ひょっとしてだが……このお茶、毒とか入ってんじゃねぇーか？」

などとあらぬ疑いを向ければ、

「あるかも」

「ないとは言い切れないであるな」

自分たちはそれだけのことをしでかしたのだからと、残るふたりも同意する。

「たしかに、俺たちは――」

ドベルクが何かを言いかけたとき、ノックの音が響いた。

びくりと身体を震わせ、烈火団は揃《そろ》って背筋を伸ばす。

そうして、「どーぞ」と応答した。

「お久しぶりですね、ドベルクさん、ニキータさん、ガベインさん！　また会えて、私、すごくうれしいです！」

朗《ほが》らかな笑顔とともに入室してきたのは、赤い蛇の紋章が入った白衣を纏う少女。

エイダ・エーデルワイス。

かつて無能と罵倒して、烈火団がパーティーから追放した回復術士。

そして、

「戦場の天使」

「はい？」

「なんか、おまえ、そう呼ばれてんだろ？」

「そうなんですか？」

「けっ、相変わらず何考えてんのかわかんねぇ、いけすかない女だぜ」

「ドベルク……！」

他のふたりが、悲鳴のような声を上げて団長の口を塞ぐ。

ニキータとガベインが取り繕うように愛想笑いを浮かべ。

少女は不思議そうに小首をかしぐ。

「もがもが……ええい、おまえら邪魔すんな！　俺はこいつに、話があるんだよなぁ、これが！」

「話、ですか」

ああ、話だとドベルクは頷いて。

「――すまなかった」

勢いよく、頭を下げた。

ニキータとガベインも、それに続く。

「えっと」

「たりねぇか。たしかに俺なら認めねぇ。じゃあ、こうだ」

身を倒し、土下座をするドベルク。

「ちょ、ちょっと待ってください」

「いいや、待たねぇ」

エイダが戸惑っている間に、他の二名も土下座へと移行する。

そうして彼らは声を合わせ、謝罪の言葉を口にした。

「すまなかった」

泣いていた。

烈火団の三名は、泣きながらぐりぐりと床に額を押しつけ、酷い無様を晒しながら謝罪を続ける。

声は潤《うる》み、全身が強《こわ》ばり、彼らが恐怖すら覚えていることを、エイダならずとも見た者は誰しも理解できただろう。

先ほどまでの荒っぽさとは対極にある、罪科《ざいか》に震える繊細な咎人《とがびと》の姿がそこにはあった。

「俺たちが悪かった……！」

「知らなかったのよ……応急手当が、あんなに大事だなんて……」

「おぬしがいなくなって、初めて雑務の大変さが解ったのである。我が輩、計算とかできないゆえに……！」

彼らは今、無防備だった。

エイダは元冒険者だ。

そして、戦場で鍛え上げられ、死地をくぐったことで増した力は、一線級へと達しようとしている。

そんな彼女の前で土下座をする。

これは、いつ命を奪われても構わないという、烈火団なりの誠意の表れだった。

そうまでしても、彼らは謝罪をしたかったのだ。

謝罪と、贖罪《しょくざい》を。

「あのあと――あの地獄からおまえに助け出されたあと、俺たちは落ちぶれるところまで落ちぶれた」

人類を守る最強の兵士たち。

それを危険に晒した無能。

魔族に手も足も出なかった冒険者の恥さらし。

傲慢で、嫌みったらしく、金払いも悪いアコギでせせこましい悪党ども。

そんな悪評《レッテル》を、烈火団は貼られた。

けれど彼らは反論しない。

一切全てを受け容れた。

それが事実で、自分たちの身のほどだと弁えたからだ。

ただ……それでも。

どうしても一言、エイダに謝りたくて。

彼らは恥を忍んで、トートリウムを訪れたのである。

「許してくれ……いや、許せねぇのは解る。俺なら殴りまくって罵声を浴びせる……だから、そうしてくれ」

「なんでもするわ！　贖罪よ！　どんな命令だってしてちょうだい！」

「我が輩、移動のための足、もとい、馬になってもよいのである！　ひひん！」

くどいぐらいに言葉を重ねるかつての仲間たちを見て、エイダは小さく息をついた。

炎色の瞳が、幾ばくばかりか困惑に揺れ、やがていつもと同じ色に落ち着く。

「頭を上げてください」

「……え？」

「私は、皆さんを罰《ばっ》したいなんて、思っていませんよ」

「――――」

その言葉に、思わず三人は顔を上げる。

そうして見た。

少女が。

エイダ・エーデルワイスが浮かべる、慈愛の微笑みを。

「無事でいてくれて、うれしいです。傷が治ったようで、とてもうれしいです。私は、ずっと皆さんに拾ってもらった恩義を返せなくて、それが心残りでした。だからあの場所で、あの戦場で皆さんの命を繋ぐことができて、やっとお役に立てたんだなと、ただうれしかったんです」

心底からの喜びを口にする白髪赤目の少女。

純白のエイダ・エーデルワイス。

「戦場の、天使……」

三人の口から、その言葉は意図せずしてこぼれ落ちていた。

「許すとか、罰するとか。どうでもいいことです」

虐げられてきたはずの彼女が。

エイダ自身が言うのだ。

ただ、今生きていてくれることがうれしいと。

「う――うう……ううう！」

決壊した。

ドベルクの涙腺が、崩壊した。

彼は顔を醜く歪めると、ボタボタと鼻水を垂らしながら声を上げて泣き崩れる。

釣られたようにニキータも、ガベインも泣きじゃくった。

大の大人がみっともなく。

されど、心からの感情に突き動かされて。

「う、ぐす……うう……」

ひとしきり泣き続けたあと、ドベルクはようやく起き上がる。

そうして、憑《つ》き物《もの》が落ちたような顔つきで、エイダを見つめ。

「こいつは、その……すげぇ身勝手な話だと思ってんだが」

「なんですか？」

「おまえ――烈火団に、戻ってこないか？」

そう言って、彼は懐からあるものを取り出した。

「これは」

エイダは目を瞠る。

彼が差し出したもの、それは。

エイダが烈火団を追放されたとき返上した、仲間の証しであるバッジだったから。

少女は戸惑う。

手を伸ばしかけて、固まる。

「………………」

「いや、そりゃあよ、不安なのは解るぜ。名声は地に落ちちまったし、ちゃんと冒険者やれるかどうかもわかんねぇ。けど、おまえとなら、俺たちはまたやり直せると思うんだ。なあ、おまえらもそう思うだろ？」

同意を求められて、ニキータたちは首肯する。

ドベルクは我が意を得たりとばかりに調子づいて、腹にためていた言葉を吐き出す。

「戦場は、やっぱ危ねぇよ。冒険者のほうがいくらかマシだ。これからは、おまえが怪我しないように俺たちが守るからよ。だから、お願いだぜぇ、烈火団に戻って――」

「それは――いくらなんでも、判断が遅いだろうな」

厳冬《げんとう》の如き声が、室内に響き渡った。

突如ドアが開き、何者かが部屋へと入ってくる。

反射的にドベルクは武器を構えようとして――すぐさま顔を青ざめさせた。

完全装備の兵士たちが、入室してきた人物の背後に控え、魔術の発動を準備していたからである。

「な、何者《なにもん》だ、あんたは……！」

「儂か。儂は……」

「お父様！」

「お――」

お父様⁉

と、素《す》っ頓狂《とんきょう》な声を上げる烈火団。

そう、部屋へと入ってきたのはエイダの父親であり。

「控えろ、下郎《げろう》！」

近衛《このえ》のひとりが、声高に叫ぶ。

「こちらに御座《おわ》す御方《おかた》をどなたと心得る！　この地を治めし大領主にして辺境伯、選帝伯にして参謀本部付き参謀次長――ゼンダー・ロア・ページェント准将、その人にあらせられるぞ！」

「う、うへぇ……⁉」

「ははー！」

「ひぃいいい！」

反射的に、烈火団はその場に平伏した。

彼ら冒険者にしてみても、この地に生きる人間としても。

ゼンダー・ロア・ページェントという存在は、遥か雲の上の、下々《しもじも》からすれば直視することも憚られるような大人物だったからである。

人類王の統治以前でたとえるならば、一国の王が直接出向いてきたに等しかったのだ。

「ふむ」

ひれ伏した烈火団を、峻厳《しゅんげん》な眼差しで見つめ、ゼンダーはおもむろに口を開く。

「君たちの事情は把握している。しかし、もはやエイダ・エーデルワイスは汎人類軍にとって必要不可欠と判断された。今後、彼女は指導者として衛生兵の完熟《かんじゅく》を任されるだろう。そんな人材を、在野にくれてやるわけにはいかん。まして――烈火団……だったか？　君たちは一度捨てたのだろう、この子を？」

厳しくも事実を述べるゼンダーに、ドベルクたちは震え上がるばかりで何も言えない。

ゆえにゼンダーは続ける。

彼らの無能こそを誹った。

「応急手当という叡智を前にしながら、その有用性を見いだせず、あまつさえ酷使し、虐げ、放逐し。そうして都合が悪くなれば戻ってきてほしいと宣う性根《しょうね》。それが、戦士のすることか？　恥を知れ！」

縮み上がったドベルクの心臓は、その一喝で危なく停止するところだった。

……それでも、彼は。

「恐れながら、申し上げます、ページェント辺境伯様」

「なんだ」

「……エイダ自身は、どう考えているのでしょうか。俺たちのところに、戻ってきたいと考えては」

「貴様！　准将閣下に口答えを！」

「よい」

近衛兵が吠えるのを、片手をあげてゼンダーは押しとどめ。

震えるドベルクから視線を切り。

そうして、娘へと向き直った。

「では、おまえ自身はどう考える？　エイダ、おまえは」

「……私は」

「うむ」

「私は、やっぱり少しも、烈火団の皆さんを恨んでいません。ですが――」

白い少女は。

戦場の天使と呼ばれる娘は目を伏せ。

「私は、ここで。レイン戦線で、やるべきことを既に見つけてしまいました。何も考えていなかった頃の私とは、もう違ってしまっているのです。結論が出る前だったら、きっと無邪気に、私は烈火団へと戻っていたことでしょう。でも」

やがて顔を上げ、まっすぐに告げる。

「私は、多くの命を助けたい。ここには助けたい人が、たくさん、本当にたくさんいるのです。だから――ごめんなさい皆さん！　私、烈火団には戻れません……！　やりたい事が、多すぎるんです！」

「……ああ」

その言葉を、ドベルクは不思議と正面から受け止めることができた。

彼の無用なプライドと、どうしようもない鼻持ちならなさ。

それは少女の前で、今や見る影もなく。

ただ、烈火団の三人は、頭を垂れるのみだった。

§§

「これを、持っていってください」

「なんだ、これ」

帰り際、ドベルクはエイダに紙包みを手渡された。

それは、なんだか見覚えのあるもので。

「鼻炎のお薬です。ドベルクさん、やっぱり苦しそうだったので」

「……おまえ……っ」

思わず目頭が熱くなったドベルクは、慌てて顔を拭い、洟をすする。

そうして、なんでもないように取り繕って。

少女へと、右手を突き出した。

「おまえ、本当に大丈夫なのかよ」

「はい。大丈夫です。なぜならば！」

彼女は、かつての仲間の手を取りながら。

花咲くような笑みで、こう答えるのだった。

「私は私が笑顔でいるために——皆さんの命を！　手と手を繋いでいくのですから！」

これが、烈火団とエイダ・エーデルワイスの、公式に記録される最後の会話である。

ブリューナ方面を人類軍が制圧した、春先の出来事であった——

第六章

王様に直談判して物資援助の広告をばらまきましょう！

episode 06

「では——これより定例軍事会議を始めます」

開会の言葉を聞きながら、ヨシュア大佐は無表情を保つので精一杯だった。

参謀本部が主催しているこの会議に、人事課大佐である彼は、本来出席を望まれるような立場にない。

他のお歴々《れきれき》は皆、当然ながらヨシュアよりも階級が上である。

それだけで居心地は悪かったが、何よりこの場に立ちこめる特有の雰囲気は、彼に多大な圧力をかけるに十分すぎた。

葉巻の煙、珈琲の香り。

そして——深謀遠慮《しんぼうえんりょ》、策謀計略の匂い。

それらは渾然一体となり、質実剛健《しつじつごうけん》な造りの会議室に、奇妙な緊張を伴い漂《ただよ》っていた。

居並《いなら》ぶ重鎮《じゅうちん》たちの表情は、軒並《のきな》み硬《かた》い。

軍人なのだ、強面《こわもて》であることはむしろ美徳だろう。

何もおかしなことではない。

だが、全員が全員とも、率先《そっせん》して口を開くことを嫌って、堅く唇を引き結んでいるとなれば、話は別だった。

ヨシュアは思った、気が進まないのは自分のほうだと。

「最初の議題ですが、ジーフ死火山攻略戦の戦果と、ブリューナ方面における今後の展開についてですが……」

司会進行役が言いよどむ。

わかる、と。

思わず強く、同意を示したくなる。

ジーフ死火山攻略戦、別名を怨樹のトレント討伐戦。

それは、ヒト種の英雄たちへ向かって率直に披露するには、少々ばかり灰汁《あく》が強すぎる内容なのだ。

たとえ勝利の報告だとしても、ありのままに語りたくない話題というものはある。

されども会議は進む。

この場で腹芸以外の嘘偽りは許されない。

事実が理性によって切り分けられ、陳列されていく。

「えー……極秘裏に投入されました第61魔術化大隊の活躍により、我々の部隊は敵陣深くまで浸潤《しんじゅん》することに成功しました」

「それは、包囲されたことを言い換えたに過ぎないのではないかね？」

薄い頭髪に、樽《たる》のような肉体。厚《あつ》ぼったい唇をしたナイトバルト少将が、豊満な腹を叩きながら皮肉を飛ばした。

漏れ出したのはいくつもの冷笑。

ただひとり、顔を真っ赤にして怒気を示したのは、魔術化大隊の責任者である痩《や》せぎすの将官であった。

「断じてそのような事実はない！」

「しかし、件の魔術化大隊は、よりにもよって〝あの〟223独立特務連隊に救出されたそうではないか」

「重ねて事実誤認《じじつごにん》である！　魔術化大隊は指揮下に入った223連隊を的確に運用せしめ、怨樹のトレントを討伐したのだ！　これは赫々たる戦果である！」

「大隊の指揮下に連隊が入る？　猫が獅子の親になることもあるとは聞くが……ものは言い様であるな」

唾を飛ばして抗弁《こうべん》する責任者を嘲笑《あざわら》い、ナイトバルトは肩をすくめた。

「では、223連隊の扱いはどうする」

「報奨《ほうしょう》として物資でもやっておけばよい、所詮は亜人《デミ》どもだろうが」

「そうは言うがな、敵陣攻略ののち、最も早くその地を踏んだのは彼奴らであろう」

「魔術化大隊が現着は先である」

強弁する責任者。

だが、ナイトバルトは、また肩をすくめてみせる。

「聞いたところによれば――風の噂に過ぎないと一笑《いっしょう》に付してもらっても構わんが――２２３特務連隊の活躍がなければ、第61魔術化大隊は壊滅していたとか」

「なっ」

「それどころか、虜囚《りょしゅう》の辱《はずかし》めを受ける寸前だったとも聞く。まったく、なんと滑稽な赫々たる戦果か」

「……っ」

ナイトバルトの並べる事実を受け、怒り心頭《しんとう》に発し二の句が継げない責任者。

当然だとヨシュアは思った。

ナイトバルト少将といえば、歴戦の軍略家だ。

このように杜撰《ずさん》な、口先だけの隠蔽などなんの意味もなさないだろう。

彼の目には、当時起きていたことが手に取るように解ってしまうに違いない。

それこそ噂だが、〝風の噂〟というのは、ナイトバルトが秘密裏に抱える諜報員《ちょうほういん》のことだと、まことしやかに囁く者もいる。

そのうえで、生粋《きっすい》のヒト種至上主義者でもあるのだ。

だからこそナイトバルトは、２２３連隊の功績を認める方向では口を開かない。

議会の流れを、第61魔術化大隊の瑕疵を追及するほうへと持っていく。

口の巧《たく》みな男だと、ヨシュアは警戒を厳《げん》とする。

「しかし、死地にて奮闘した努力は認めざるを得まい。第61魔術化大隊にはそれなりの功績……黒《くろ》鉄《がね》勲章あたりを叙勲させる形ではどうだ？　無論、剣無しのだ」

「――――」

責任者の怒りは、おそらくそこで頂点に達した。

剣無しとは、間接的に戦争遂行へと関わった功績を称える意味合いの言葉だ。

つまり、その程度の活躍だったと言いたいのである。

「ならば……223独立特務連隊については、どうするおつもりか」

責任者が恨み骨髄《こつずい》に徹すといった様子で、それこそ意趣返《いしゅがえ》しのように話を蒸し返す。

叡智の牙城《がじょう》、参謀本部とはいえ、そこには種族間に対する越えがたい壁がある。

だから、如何《いか》に辣腕《らつわん》のナイトバルトであっても、下手なことは言えないはずだと、責任者は高をくくったのだ。

しかし太鼓腹の少将は、表情ひとつ変えず、

「剣付き銀十字勲章を叙勲してやれ」

と言い放った。

これには議会全体がざわついた。

剣付き銀十字勲章。

それは、最も勇敢に戦い、直接的に戦局を左右した兵士へと贈られる、最上級の武功を示す勲章なのである。

これが亜人に贈られたという前例を、ヨシュアは寡聞《かぶん》にして知らなかった。

実行されれば、亜人たちにとって快挙、これ以上ない実績となるだろう。

報国の士《し》たる愛国者、あのレインの悪魔など、諸手を挙げて喜ぶに違いない。

だからこそ皆が思うのだ。

そんなことが、許されるのかと。

「静まれ。別段不思議なことではあるまいよ。ジーフ死火山を攻略したのは間違いなく彼奴らの手腕だ。それは記録に残っておる。これを無視すれば、国内の強制収容施設において亜人どもの暴走を招きかねん。その程度の配慮もできんのか、貴様らは？」

「し、しかし……それでは亜人どもがつけあがって」

「戦死させてしまえばよかろう」

ナイトバルトの言葉に、色めき立っていた議会は一瞬で凍り付いた。

彼は太い腹を楽しげに揺すり、口元の髭を撫で、先を見据えた瞳で語る。

「怨樹のトレントおよび敵司令部の壊滅後、我が方の一斉攻勢により、ブリューナ方面は陥落。事実上人類の統治下となりつつある。であれば、次はその先を目指さなければならない」

「アシバリー凍土……」

「うむ。よい合いの手をくれるではないか……あー、貴様はヨシュア大佐だったか？」

思わず口を滑らせて、ヨシュアは縮み上がった。

が、ナイトバルトは満足げであり。

「そうだ。永久凍土アシバリー。魔族領本土である。我々はついに、彼《か》の地へと兵を進める。正面突破の必要がなくなったのだ、ブリューナから迂回すればよい。アシバリー、はっきりいえば、地の利は魔王軍のものだ。だからこそ――真っ先に足を踏み入れるのは、失って惜しくない駒であることが望ましい。様子を見て、情報が集まれば、自《おの》ずと対策は立てられるものだ」

「ですが」

「そうさな。このたびの戦で戦傷者も多く出たと聞く。本国からえり抜きの亜人どもを補充《ほじゅう》してやれ。捨て駒とはいえ、最低限の役目を果たしてもらわねばならぬし――何より、亜人どものガス抜きには丁度いい」

恐ろしく冷徹な思考。

肥え太った身体から放たれているとは思えない、尋常ならざる鋭利な威圧感に、ヨシュアだけでなくほとんどの参加者たちが口をつぐむ。

ナイトバルトは、そんな一同の様子を愉快《ゆかい》そうに眺め。

「おお、そういえば、だが」

実にわざとらしく、本題を切り出してみせた。

「そのジーフ死火山攻略に、民間人が関わっていたというのは事実かな？　そう――ヨシュア大佐？」

「っ」

来た。

来ると思っていたと、ヨシュアは震えそうになる拳を握りしめ――それでも胃が痛み始めたために顔を歪ませかけて――なんとか立ち上がり、報告する。

今日、この場所に彼が呼ばれたのは、ただそのためだったのだから。

「はっ。正確には軍属の高等官一名と、回復術士を含む看護要員十五名。その護衛として三十四名の兵士が作戦に参加しました」

「焼け石に水ではないかね、援軍としては」

「彼女らには、別途役割がありました」

「彼女……ふふん。彼女らときたか」

嫌らしく、ぎょろりとした目を見開いて、ナイトバルトは笑ってみせる。

その黒々とした瞳の中で、無数の深謀遠慮が巡らされていることは、誰の目にも明らかだった。

「それで。その軍属の名は」

「エイダ・エーデルワイス高等官であります」

「役割とは、なんだ」

「はっ……」

「どうした？　遠慮をすることはない、貴官には報告の義務がある」

追求され、言葉の上だけとはいえ優しく背中まで押されては、覚悟を決めるしかなかった。

ヨシュアは大きく息を吸い、一気に吐き出すようにしてまくし立てた。

「革新的新兵科の実戦投入に対する、試験運用《テストケース》をするためであります！」

「ほう……それは」

「それについては、儂が話そう」

これまで。

会議が始まってから今この瞬間まで。

かたくなに沈黙を守っていた男が、口を開いた。

ロマンスグレーの髪をぴしりと撫でつけ、右目に片眼鏡をはめた帯剣礼装の男。

レイン戦線が領主。

人類が防人。

参謀次長ゼンダー・ロア・ページェントが、穏やかな眼差しで一同を見つめていた。

ナイトバルトが、再び口元をいやらしく歪める。

まるで獲物を前にしたガマガエルのようだとヨシュアは思った。

「これはこれはページェント准将。いや……先日付けで少将でしたなぁ。さすがご子息を生け贄に差し出しただけのことはあられる。兵站課から人事課まで東奔西走《とうほんせいそう》させ、軍を私兵の如く総動員させた心地はいかがかな？」

「ナイトバルト少将と肩を並べられたことを、儂はうれしく思うとも。感慨はそれだけだ」

「ははぁ、我らが防人殿はやはり頭の造りが違う様子。皮肉ひとつとっても正面から叩き切る武勇がおありだ。さらには……どうやらその兵科について、ご存じのようではないか」

話されよ、と主導権を手渡され、ゼンダーはかすかな笑みを浮かべる。

色濃い疲労こそ隠せていないが、そこには旺盛《おうせい》な活力がみなぎっていた。

「では、諸君らに儂は問う。参謀次長として、問い掛ける。新たな戦術、新たな戦略、そして新たな兵科についての是非を。すなわち」

防人が告げる。

人類の剣が、刃としてではなく大局的見地《たいきょくてきけんち》に立った軍人として。

あるいは——ひとりの親として。

「兵士が生命を衛る兵士。〝衛生兵〟の本格導入について、議論をしたい」

会場がざわついた。

ヨシュアは、胃痛を飲み込んで、心の中だけでつぶやく。

——さあ。

「さあ、ここからだぞ、エイダ・エーデルワイス」

ここから。

「貴官の夢を叶える努力が、始まるのだ……！」

§§

「物資が足りないとはどういうことですかマリアさん！」

「そんな喧嘩腰《けんかごし》みたいな意気込みで乗り込んでこられても……文字どおり、当院は物資不足という話です、エーデルワイス高等官」

あれだけの激戦を経《へ》て、衛生兵の訓練という仕事が増えてもなお、エイダの日常は変わらなかった。

朝は兵士たちに応急手当を施し、昼になれば新兵の教育を行う。

夜を迎えれば塹壕から各地の野戦病院へと戦場を移し、少女はひたむきに、ひたすらに働き続ける。

わずかな仮眠だけが、周囲の声をエイダが聞き入れた証しだった。

その日も、諸々の仕事を終え、いつものようにトートリウム野戦病院へと帰還したエイダだったが。

無情にも突きつけられたのは、各種物資の不足を示すデータだった。

「こちらをご覧なさい」

物流も担当しているマリア・イザベルは、眼鏡のつるをキリリと押し上げる。

それからエイダへと、ここ数ヵ月間の物資消費量がまとめられた書類を手渡した。

素養《そよう》がなければ読むこと自体困難な書類。

しかし幼少期に受けた英才教育と、烈火団での雑務の経験から、エイダは難なく読み解くことができる。

戦場が消費する底なしの物資――病院も例外ではない――について、端的《たんてき》にまとめられた書類であった。

一読し、エイダは理解する。

理想として病院側が必要とする物資——需要《じゅよう》。

そしてページェント辺境伯が用立ててくれた実際の資材——供給《きょうきゅう》。

そのつり合いが、どうにもとれていなかったのである。

包帯も、食料も、軟膏も、下着も、石鹸も。

天秤は、不足へとかたむいていたのだ。

「しかし……これ以上無理は言えませんし」

「そういう意味では、辺境伯少将が父親というのも考えものかしら」

「はい。お父様の立場もありますから、甘えることはできないですね。それに、この書類を見る限り、リヒハジャで集められる物資自体が頭打《あたまう》ちなんですよ。どれほど巨大でも、リヒハジャは世界の一部でしかないので……」

まさか兵站課が、市場へ物資を横流ししているなどとは夢にも思わない。

だから思考の矛先《ほこさき》は、必然、どこか別の場所から用立てるしかない、という方向へ進む。

「ですが、そんなあては、正直……」

ないものはないのだと。

エイダがうんうん唸っていると、ちょうど治療を終えたらしい聖女ベルナデッタ・アンティオキアが、その場に通りかかった。

彼女は聖女らしからぬ表情で、エイダへと声をかける。

「何してるのよ、ふたりだけで楽しそうに」

「いいえ、聖女ベルナ。かけらも楽しい話では……あと、処理してほしい書類がたまっていて――」

「マリアには聞いてないの」

「………」

辟易して口を閉ざしたマリアに若干の憐憫《れんびん》を懐きつつ、エイダは事情を説明する。

「じつは……」

「なるほどね。例の新兵科のことで忙しそうにしてるとは思っていたけど、あんたはこっちのことも気になるわけか」

概《おおむ》ね状況を把握して、聖女は頷く。

それから、腕をつかねて首をひねる。

「これはゆゆしき問題よ。当たり前になりつつあったけれど、野戦病院では資材が足りているほうが珍しいのだから」

「それは理解しています。ですが、捨て置くわけにもいきません。私は、打開策を考えます」

「さすがリトル・エイダね。でも、これは私の勘、聖女のひらめきのようなものなのだけど……あんた、他にも懸念材料を抱えているんじゃない？」

ベルナが訊ねれば、エイダはしばしの逡巡《しゅんじゅん》のあと、こくりと頷いた。

「はい、病院改革構想を持っています」

「一応聞かせなさい。私の領分よ、病院は」

「……病院の役割を、ふたつに分けたいと考えています。私には医療を改革する権限がないので、これはいずれベルナデッタ様にご相談したいと考えていました」

「ベルナでいいわ。というか、ふーん、話が早くなったじゃない。具体的には？　よりよくなるというのなら、協力してあげるのはやぶさかじゃないわ。これまでのあんたの振る舞いで、信用できることはわかっているもの。それが正当なものなら、教会にだって掛け合ってあげるわ」

「ありがとうございます。端的にいうと……兵士を戦線に戻すための病院と、本格的な治療を行う病院のふたつに分けたいのです」

　エイダは指を折りながら説明する。

「ひとつ。これまでどおりの野戦病院。応急手当とヒールを併用《へいよう》し、兵士を即座に戦線復帰させることを念頭《ねんとう》に置きます。また、一時的な処置を施す場所としても機能させたいのです」

「比較的軽傷者向け、ということかしら？」

「そうです。できれば今よりは前線寄り……後方の病院と戦場の中間に設置したいと考えています」

「なるほど。続けて？」

「もうひとつは、重傷者を後方まで送還し、本格的な治療を行う施設——拠点病院の設置です。確実に命を助けることのできる、設備と人員の整った施設が欲しいと思っています」

「野戦病院で応急手当や処置を行い、拠点病院で根治を目指すということね？」

「はい」

エイダはこれまで、冒険者としてさまざまな賢者や回復術士と出会ってきた。

村々には他にも祈祷師《きとうし》や呪術師《じゅじゅつし》などがいて、基本的に病気は彼らが施術したり祈ったりして対応する。

「つまり――このトートトリウム野戦病院のように、回復術士と適切な処置が行える看護士が常駐《じょうちゅう》しているような医療施設は、おそらくですが現状存在しないのです」

「いうなれば、教会がそれに当たるんじゃないかしら？　街や市に限るけれど、聖女が常に詰めているし、大概《たいがい》の病や怪我は治せるもの」

聖女の言葉にエイダは頷く。

その瞳は、いつものように意志の焔で輝いていた。

「ですので、教会に全面的な協力を要請し――聖女の集中運用を行いたいと考えています」

「な――」

「くふふ」

絶句するマリアと、耐えきれず吹き出すベルナ。

人類のあらゆる傷病と向き合う癒処《いやしどころ》にして、奇跡の頂点たる〝翼十字教会〟。

軍部にさえ威光を示し、ページェント辺境伯ですら手をつけられなかった権威と信仰の総本山に、少女は単身切り込むと言っているのである。

これに驚くなと言うのは、あまりに酷な話だっただろう。

けれど、少女は真剣だった。

教会の力を借りなくては、全ての負傷者を助けることなどできないと本気で考えていたからだ。ゆえに。

「とりあえず、エーデルワイス高等官。そのプランは胸に秘めておきなさいよ。折を見て、応援してあげるから」

聖女ベルナは、機嫌よく告げる。

「あんたが相応の実績を——ええ、もう何度か〝奇跡〟を示せたとき、私が口を利いてあげると約束するわ。今すぐにとは、いかないけどね」

「えー」

「えーじゃないです、えーじゃ！　聖女ベルナのお心遣いを無碍にしない！」

マリアの抗議を受けて渋々引き下がるエイダを見て。

聖女の口元はさらに笑みを深くする。

戦場の天使の潔癖《けっぺき》さは健在《けんざい》であると、うれしくなったのだ。

だから、彼女は口を滑らせた。

不用意にも、準備をする時間があるうちにエイダへ話を聞かせてしまった。

「そういえば、あんた、今度叙勲されるそうじゃない」

「……はい？」

「レインでたくさんの友軍兵士を救った功績が認められて、人類王陛下自ら勲章を授与するとかなんとか——」

「それです‼」

ぱぁっと表情を輝かせたエイダは。

いつものように、いつもの如く。

そして、突拍子もない破天荒な言葉を、聖女たちに向けて吐き出したのである。

「私、王様に直談判《じかだんぱん》してきます……！」

§§

白亜《はくあ》の大宮殿。

人類権力が本丸。

王都に聳《そび》え建つ巨大なる城。

エステバニア王城。

いつぶりになるかも解らないその壮観《そうかん》な景色を、エイダ・エーデルワイスは奇妙な心持ちとともに見上げていた。

町並みは変わらない。

戦時下ゆえに人の数こそ少ないが、未だ商《あきな》いは行われ、春の陽気の中、活発に子らが走り回っている。

人間の営《いとな》みは、依然《いぜん》として健在。

エイダは思い返す。

烈火団に在籍していたとき、自分はこの街で生きていたのだと。

「もっとも、その頃は着るものにすら困っていたわけですが」

過去を振り返り、わずかな苦笑を浮かべて。

少女は勝手知ったる道のりを、王城へと向かう。

「何者か」

当然のように城門で呼び止められたので、預かっていた〝招待状〟を差し出してみせた。

その中身を確認するなり、門番は顔色を変える。

「こ、ここここ、これはご無礼を！　私どもでは判断が付きませんので、しばし、しばしお待ちを！」

彼は大急ぎで取り次ぎに走っていき、

「どうぞ、お入りください……！」

迅速《じんそく》に、エイダを招き入れてくれた。

仕事とはいえ、かわいそうなことをしたなという分別《ふんべつ》が、エイダにもまだあった。

「普通に馬車でも用立ててくれれば、スムーズだったでしょうに」

とはいえ、ひとりでやってこいと言われたからには従うしかない。

それを言った相手が王様――人類最大の権力者である以上、エイダといえども突っぱねるなんて真似はできないのだ。

しかし、意図がわからないと、彼女は首をひねる。

「顔を合わせられるというだけでこちらは好都合《こうつごう》なので、構わないといえば構わないのですが」

小さく独白《どくはく》しつつ、彼女は歩く。

門を抜け、控え室に通され、いくらなんでもと父と弟から説教をされた壊滅的なセンスの私服から礼装《れいそう》へと着替える。

侍従《じじゅう》にやらせるような仕事ではあったが、自分でできることを人に任せるなど、エイダにしてみれば苦痛でしかない。

そそくさと服装を整えていく。

本来ならば、着飾るべき場面だ。

けれど、今身に纏うのは――

「ふむぅ……」

待ち遠しい時間の間、彼女はぼうっとこれまでのことを思い返していた。

弟が蛇に驚いて大怪我を負ったこと。

それを治すために悪戦苦闘したこと。

家を放逐されたこと。

烈火団に拾われたこと。

追放されたこと。

広告に導かれ、軍属になったこと。

レーア・レヴトゲンと出会ったこと。

家族が増えたこと。

そして――

「そして、今では蛇も怖くありません。やるべきことが、背中を押してくれるからです」

彼女が背負うのは、ページェント家の家紋をアレンジした、衛生兵の証しにして正装。

杖に絡みつく蛇の意匠《いしょう》。

かつて忌み嫌ったものが、今では少女の身分を示すものへと変わっている。

短い半生の全てを血肉に変えてきたからこそ、エイダは今、ここに立てているのだ。

「全部終わったら、アップルパイを食べましょう」

エルクと、ゼンダーと。

レーアやダーレフ、ベルナやマリアと。

楽しい宴をしたいと、少女は珍しく欲望をあらわにして。

それから、ぺしりと両の頬を叩いた。

じんわりと這い上がる痛みが、浮き足立っていた彼女の心を、一瞬で普段どおり冷静なものへと立ち返らせる。

「浮かれるには、まだ早いですね」

何せ、これから顔を合わせるのは一国どころか人類全てを治める大王様。

粗相のひとつでエイダの首など飛びかねない相手。

けれど、話さえつけられれば、間違いなく多くの者に、福音《ふくいん》の如き助けを与えられる神にも近しい人物。

「すー……ふぅ……」

震える小さな手を握りしめて。

少女は大きく息を吸い、長く吐き出す。

ノックの音。

そして、扉が開く。

「エイダ・エーデルワイス様。こちらへ」

「はい」

招かれるまま、エイダは歩き出した。

人の全てを統べる者、人類王のおわしますところへと――

§§

豪華絢爛《ごうかけんらん》という言葉は、玉座の間にふさわしくなかった。

正確には、それだけでは言い表すのに不足があったのだ。

きらびやかな芸術性と、機能美がともに追求され、高次元でまとまった格調高《かくちょうたか》き意匠。

真に美々《びび》しいと思えるものだけが、そこにはあって。

そして全ての中央、玉座には。

部屋の美しさに決して劣らぬ、むしろこれ以上なくふさわしいと一目でわかる王者が、けだるげに頬杖をついているのだった。

人類王サンジョルジュ1世。

ただ一代をして人類を統合し、魔族による侵攻を今日この日まで押しとどめてきた稀代の名君。

その彼が、低く厳かな声音で告げる。

「エイダ・エーデルワイス。余が赦《ゆる》す、面《おもて》を上げよ」

「――はい」

一度目を閉じて。

エイダは、ゆっくりと顔を上げた。

獅子と鷹の性《さが》を生まれ持ったような人だと、エイダは感じ入る。

人類王は、その齢にして若々しさにあふれていた。

たてがみのように旺盛な頭髪は太陽のように輝き、高貴という言葉から削りだしたような瞳は、どこまでも深い青色をしている。

見つめていると、心根が浄化されるような心地になる瞳であった。

貴族と呼ばれる人間の特徴を最大化し、極限まで高めたとき、あるいはこの人物に至るのかもしれない。

高貴とは、この人物のために神が作った言葉なのだろうと、少女は思う。

そんな王が、言葉を続ける。

聞くだけで総身が震えるような、威厳に満ちた声音だった。

「レイン戦線での働き、誠に見事《みごと》であった。その武勇は、余の耳にも届いておるぞ」

「もったいなきお言葉です、王様」

「うむ。その功績を称え、三つの褒美を取らせる。ひとつは献身赤菱勲章《けんしんせきびしくんしょう》。余の臣民《しんみん》のうち、身を捨てて国に貢献した者に授ける挺身《ていしん》の証しだ。大臣」

「はっ。立て、エイダ・エーデルワイス」

言われるがまま、エイダは立ち上がる。

大臣は儀礼的な叙勲に際する条文《じょうぶん》を読み上げると、エイダの胸へと勲章を飾った。

赤色の、菱形《ひしがた》を模した勲章は、白い少女によく栄えた。

エイダは再び膝をつき、王へと頭を垂れる。

鷹揚に王が頷く。

「次に、そなたの功績に免じ、正しき地位を与える。エイダ・エーデルワイスは現在軍属であり、高等官の立場にある。これを余は不服《ふふく》として、親任高等官《しんにんこうとうかん》とすることをここに発する」

「そ、それは」

「なんだ？　余の決定に何か物言いがあるのか、大臣？」

「い――いいえ」

何かを言いかけた大臣を、王が眠たげな瞳で一睨みすると、文句の言葉は雲か霞《かすみ》のようにかき消えてしまった。

王の瞳には、それだけの力が宿っていたのだ。

「――――」

声にこそ出さなかったものの、驚いたのはエイダである。

昇進についてなど、予定になかった。

予定にないだけならば、王様の気まぐれで済む。だが、親任高等官というのがとんでもない。

それは、他の軍属とは明確に異なるものだ。

王自らが必要とする人材に対して割り振る階級であり、場合によっては〝閣下《かっか》〟と呼ばれることすらある立場。

命令を発する側の位階《いかい》である。

恐れ多いとまでは感じなかったが、それでもエイダはビックリした。

「無論、今すぐというわけにはいかぬ。準備があるからな。後日、正式な下知をくれてやろう。構わんな？」

「は、はい」

「では三つ日だ」

戸惑う彼女の様子を楽しむように、王は最後の褒美を与える。

「そなたの願いを言え。叶えてやろう」

「……はい？」

「うん？　余の美声を聞き逃したか？　致し方あるまい、この威光の前では可憐な花とて震え上がるものだ。赦す。篤と聞くがよい。そなたの望みを言え、それを叶えてやろう」

「望み、ですか？」

「ああ、しかしなんでもは叶わぬぞ。余にできることだけである」

それは、事実上なんでも願いが叶うということだった。

人類王サンジョルジュ1世。

この世の富を全て手中に収め、人の頂点に立ち、最強の武力を誇り、絶世《ぜっせい》の大魔術師でもあるこの王に、できないことなど、何ひとつない。

あるとすれば、同等の力を持つとされる魔族の王。

魔王との戦争を終わらせることだけだ。

だから、エイダは自分が試されているのではないかと考えた。

何か、よほどあずかり知らぬところで、一挙手一投足《いっきょしゅいっとうそく》を見定められているのではないかと。

そう考えはしたが――

「恐れながら、王様」

「うむ」

「お願い事が、あります」

「赦す。申せ」

「私は」

一瞬、緊張から舌がもつれそうになって、少女は呼吸を整える。

戦場ですらこんなにも心臓が荒ぶることはなかっただろうと思いながら。

けれど彼女は顔を上げ。

なおまっすぐに王の蒼眼《そうがん》を見据えて、言い放った。

この機会を、絶対に逃したくないと、強く思って。

「私は――〝広告〟を出す許しをいただきたいのです」

§§

「広告とな？」

眠たげだった王の目がわずかに開き、玉座に深々と背を預けていた玉体《ぎょくたい》が少しばかり前傾《ぜんけい》する。

「詳しく話して聞かせよ」

「はい。私は軍属の回復術士として、戦場の多くを見てきました」

「今では衛生兵と呼ばれているそうではないか。そなたこそが、衛生兵の始祖《しそ》であろう、胸を張るがよい」

「……ありり難く存じます」

別段、そこにエイダの興味はないので、なんとなく感謝をしながら話を進める。

今、少女の頭脳は、どうアプローチすれば自分の語る内容が王様に魅力的だと伝わるか、それを導き出すために全力稼動していた。

王城に来るまで、散々考えていたことでもある。

わずかながら思考の時間を与えてくれた聖女に、少女は感謝してもしきれない。

「戦場では、野戦病院などの実態を目にしてきました。塹壕の掘られた前線、そこから後方に下がった位置に、病院は作られます」

「無論知っておる。で？」

「私が初めて野戦病院を訪れたとき、そこは酷い有様でした」

彼女は滔々《とうとう》と語る。

何ひとつ誇張することなく、ありのままの事実を。

だからこそ、凄惨で残酷な光景を。

「兵士たちは血に濡れた使い回しの包帯で患部をくくられ、汚物にまみれた病床に寝かされ、命尽きれば埋葬されることもなく野にうち捨てられていたのです」

「余も、その惨状には胸を痛めておる。しかし、改善したとも聞く」

他ならぬそなたの手腕《しゅわん》ではないのか？

王はそのように訊ね、少女は肯定するでも否定するでもなく首を振った。

「なぜそのような事態に陥ったか……全ては、意識と物資の不足によるものです」

「続けよ。いささか興味が湧いた」

「はい。まずは意識――衛生という概念です」

「……大賢者の遺産にて、その言葉を聞いた覚えがある」

さすがは王様、博学多識《はくがくたしき》でいらっしゃると、エイダは素直に喜び。

「不潔な場所では、病が蔓延するということです」

ざっくりとまとめてみせる。

すると、王は一度顎に手を当て。

それから唸るようにして言葉を吐き出した。

「得心がいったぞ。包帯、シーツ、器具諸々も。それらが使い回される環境は、病の温床《おんしょう》ということであろう？　呪いが吹き溜まる土地と同じ、というわけか」

「そのとおりです」

「ならば続く言葉もわかる。そなたが行った改善とは、その意識を変え、物資を与えることであった。どうだ、合っておるか？」

「さすがのご賢察です、王様」

エイダが正解だと言えば、王は子どものような無邪気さで手を叩いて喜び。

上機嫌で、話の続きを求めた。

「全ては今、王様の仰ったとおり。しかし、物資は未だ心許《こころもと》なく、衛生についての知識は一部にとどまっているに過ぎません」

「そうなのか、大臣？」

「は？　はっ……」

急に話を振られて、大臣は目を白黒させる。

彼は文官のトップではあったが、戦場の全てを知っているわけでは決してなかった。

大臣がしどろもどろにしていると、王は興味を失ったようで、少女へと向き直り。

「それで。そなたは今の前提を踏まえ、余に何を望むと言ったか」

「広告です」

エイダは、繰り返した。

「戦地の過酷さ、最前線で戦う者たちの命がたやすく消えゆく危機、艱難辛苦《かんなんしんく》、剣林弾雨の戦場がいかなるものかを物語り――兵士たちの命を繋ぐため、汎人類生存圏全ての臣民から、物資を募集したいのです！」

唖然《あぜん》としたのは大臣だ。

そんなことがまかり通ってはならないと彼は考え、すぐにエイダを黙らせようとした。

だが、王こそがそれを許さない。

なぜなら彼は、蒼色《あおいろ》の瞳をついに見開き、好奇心に爛々《らんらん》と輝かせながら、もはや身を乗り出してエイダを見つめていたからである。

「エイダ・エーデルワイス。布告《ふこく》、接収《せっしゅう》でなくてよいのか？」

「たしかに王様がお声を上げれば、臣民たちは悉く傅《かしず》き、命を含むあらゆるものを喜んで供出《きょうしゅつ》するでしょう。ですが、それはなりません」

「ほう？　なぜだ」

「私の使命は、命を繋ぐことだからです」

軍隊に日々の糧を強制徴収されれば、民草《たみくさ》は怨念《おんねん》を募らせ、決して兵士たちを助けたいとは考えないだろう。

だが、彼ら民草のために家族が――そう、家族のような隣人が死地に臨み、そして困っているとなれば、手を差し伸べたくなるはずだ。

それは、人の善性を信じるということであり、人の心の仕組みにつけ込むということでもあったが、それでもエイダは、誰もが同じものを見ることを望んだ。

そのために、戦地のあるがままを、物語として示すべきだと考えたのだ。

「なるほど。それが、広告を打つということか。同情を得たいと考えたのか、そなたは？」

「いかように捉えていただいても結構です。それで、傷つき倒れる者たちの、今日の命を明日へと繋げられるのなら」

「具体的には、どのようにする？」

「ギルドの派遣する従軍記者がいます。彼らに記事を書いていただき、各地へ配布するという形を考えています」

「ふむ……」

王は、王座に深くもたれかかり、腕を組んで沈思黙考《ちんしもっこう》を始める。

その場にいた誰もが、口を開くことを許されない圧力が彼からあふれ出す。

時間の感覚が狂うほどの圧迫感。

やがて、王がゆっくりと口を開く。

「よかろう」

それは、紛うことなき了承の言葉だった。

「エイダ・エーデルワイスの言葉、まことに愉快。よって、赦す。篤に赦す。人類世界が遍《あまね》くに、そなたの思うとおりの広告を撒くことを許可する！」

「へ、陛下！　それは」

「黙っていよ、大臣。余は全てわかっておる。その上で、この者の心意気《こころいき》に応えると言っているのだ。それでなお、余を諌《いさ》める道理が、そなたにはあるのか？」

「……は」

主君の言葉を受けた大臣は、身を縮こまらせその場に控えた。

王が、少女を見下ろす。

少女が、王を見上げる。

蒼の瞳と、赤の瞳が、まっすぐに線を結ぶ。

「思うがままに生きよ。余はそなたの成し遂げる事業を、この目で見たい」

「ありがとうございます。光栄の至りです……！」

エイダはその場で、深々と頭を垂れ。

そして。

「やったー！」

控え室に戻されるなり、飛び跳ねながら喜んだ。

これで、きっとたくさんの兵士たちが助かるだろう。

２２３連隊の隊員たちも、そのほかの多くの者たちも。

「さあ、忙しくなりますね。まずは記者さんたちに配る、もととなる文面を考えなくちゃ……あ、そうです！」

そういえば、こういうことを前にやった仲間がいたと、彼女は、不敵な笑顔で煙草をくゆらすエルフを思い出す。

さっさと普段着に着替え直したエイダは王城をあとにし、一路戦場へとトンボ返り。

レイン戦線が同志たち。

２２３独立特務連隊の元へと、向かうのだった——

§§

「恐れ多くも……よろしかったのですか、我が王よ」

エイダが去った王座の間。

大臣は、自身が忠誠《ちゅうせい》を捧げる主君へと訊ねていた。

「何がだ」

どこか浮かれた調子の王は、大臣に問いを返す。

大臣は一度息を呑み、覚悟を決めて、口にした。

「戦場のありのままを伝えるということは、我らに損耗がありと認めることです」

そう、それこそを大臣は懸念していた。

魔族と人類の大戦争。

これが優勢に運んでいるからこそ、臣民たちは王を称え、軍部を必要とする。

「ふん。だが、人の血があたら流れているとなれば、民草は厭戦《えんせん》感情をもたげるというのだろう？」

「……は」

「わかっておる。余は暗君《あんくん》ではない」

サンジョルジュ1世は、それらを全て承知していた。

承知してなお、エイダの理想を聞き届けようと考えたのだ。

「あの娘がどこまで考えていたか、それは余をしても計《はか》れぬ。だが、銃後からの物資に、激賞《げきしょう》が混じればどうなる？　民草を護る兵士たちに、その民草からの感謝が伝えられれば？」

「それは……おおいに兵士たちが生きる活力となり、励みとなりましょう」

「おまけに余の宝物庫も、軍の財政も痛まぬ」

「しかし……」

「みなまで言うな、大臣よ」

王は、かすかに口元をほころばせながら、大臣の言葉を制した。

「政治は余と大臣、そなたらが取り仕切ればよい。戦いは武人が務めだ。だが、人の傷は誰が癒やす？　権謀術数《けんぼうじゅっすう》では命を奪えても救えはせぬ。同情を餌にした罪の誹りなど、余らで受け止めれば済むではないか。だから、余はあれに賭けることにした」

それは、どこか祈りにも似た言葉で。

「見ておらなんだか？　あの娘、嘘偽りを暴き、邪なる心を挫く余の浄眼《じょうがん》を真っ向から受け止めて、怯《ひる》みも物怖《ものお》じもせなんだ。なんと肝《きも》の据《す》わった娘かと、うれしくなったわ」

「………………」

「だが、気に入ったのはそこではない。よいか、大臣。机上《きじょう》にて大勢の命を奪う余らは、いずれ歴史に裁かれる巨悪ぞ」

王は語る、己の治世《ちせい》を。

そして、理想を。

「この世は善の善なるものによって運営されているわけではない。悪なるものは絶え間なく、邪《よこしま》なるものは決して潰《つい》えることがない。今とて余は、激賞を偽装しても同じ効果があがるだろうと考えておる」

だが。

「それでも、エイダよ。エイダ・エーデルワイスよ。そなたのように、まっすぐ歩き続けられる者がいれば」

あるいは。

「いつかは、この世界から、争いが――いや、妄言が過ぎたな。忘れよ、大臣。戯《たわむ》れ言《ごと》だ」

「――は」

かくて、王と大臣は、誰にも聞かせられない話を終える。

そのまま、山のようにある執務へと戻っていく。

人類王はただ、潔《しろ》き少女にひとかけらの希望を委《ゆだ》ねてつぶやくのだ。

「余は、そんな世界を、見てみたいぞ」

夢見るように、そっと。

§§

激動の時代、戦火の時代。

人類と魔族が相争《あいあらそ》う、塗炭《とたん》の苦しみに満ちた戦争を、人々は〝終わらない大戦〟と呼び怖れた。

そんな戦いの中で、いくつもの命が巡り会い、別れ、そして繋がっていった。

かつてエイダ・エーデルワイスが所属していた烈火団は、今や影も形もない。

不死身の英雄ともてはやされた彼らは、静かに歴史の表舞台から姿を消した。

「ちょっとガベイン、しっかり足下を支えてよね」

「これはすまぬのだニキータ。しかしドベルクが」

「俺の所為《せい》かよぉ？　それにしても、色艶《いろつや》がいいんだなぁ、これが！」

未開地に向かう開拓団の中に、彼らとよく似た者たちの姿を見た――という噂がある。

身体にダメージを残しながら、憑き物が落ちたように朗らかになった彼らは、今リンゴを栽培しながら暮らしているという。

それは、エイダ・エーデルワイスの好物《こうぶつ》であるアップルパイの材料であり、贖罪のために作り続けているとも語られるが……真偽は不明なままだ。

あくまでも、風の噂に過ぎない。


エルク・ロア・ページェントは、大いに反省をすることとなった。

自らが敵陣に踏み入ることで、軍部を総動員させるという彼のもくろみは成功に終わったが、一方で家族を悲しませるという結果が、エルクの企図《きと》したものとは正反対だったからだ。

「ぼくは、非力でしたね。思っていたより、かしこくもなかった」

死地を乗り越えて猛省した彼は、勉学と、日々肉体の鍛錬《たんれん》に勤しんでいる。

自らの父と同程度の武力を手にできるように、いざというとき、大切な人たちを守れるように。

何よりあの瞬間に見た、奇跡のような黄金の輝きへと手が届くようにと。

「レーアさん、いずれ成長したぼくをご覧《らん》に入れます。きっと一軍の将になって戻ってきますから」

この頃から、エルク・ロア・ページェントは万が一を想定し、冒険者を選り抜いて〝私兵〟を構築し始める。

この私兵が、魔族との一大決戦において意外な活躍をすることを、まだ本人も含めて、誰も知りはしない。

ヨシュア大佐は、ひたすら仕事に追われていた。

持ち前の有能さと、人当たりの良さは彼にとって不幸なことに、便利屋としての認識を確固たるものとしたのだ。

亜人部隊の人員補給、選抜試験、衛生兵を志願する者たちの素性調査、各種部隊からの応援要請の判断……おおよそ、人事課としてトップクラスの職務内容のなか忙殺《ぼうさつ》されていた彼は、それでもエイダ・エーデルワイスや223連隊を蔑ろにすることはなかった。

どこまでも誠実に、どこまでも公正に。

ヨシュアという軍人は、己の役職のうちにおいて戦い続けたのである。

慢性化した胃痛はいよいよもって耐えられないものとなっていたが、のちに彼はひとりの聖女と出会い、この病から解き放たれることとなる。

ベルナデッタ・アンティオキアは、依然として教会からの出向を続けていた。

いくつも大聖女への推薦があったにもかかわらず、彼女は現場にこだわり続けたからだ。

一説によれば、それはレインの地に、忘れ去られた天使の姿を見いだしたからだとされている。

彼女の奇跡行使者としての腕前は日々成長を続け、その蘇生率は九割を超えたという記録も残されていた。

ベルナデッタについての逸話は多い。

側近が用意した紅茶を、彼女がうっかり飲みこぼしてしまったとき、それに触れた者の傷が癒えた。

あるいは、戦火に倒れた回復術士の夢に彼女が現れ、激励の言葉をかけると術士は息を吹き返した、などというものがある。

嘘かまことかはわからない。

しかし、いかに彼女が将来を嘱望され、教会や他の聖女、回復術士たちから慕われていたかは、これらのエピソードからも明らかだった。

世界中から物資が集まり、野戦病院だけでなく、多くの医療が改善されたのち。

かの聖女は教会へと凱旋し、大規模な改革を行った。

このとき教会が動いたことこそ、〝終わらない大戦〟の分水嶺《ぶんすいれい》であったとされている。

新設された衛生兵は、もはや人類軍にとってかけがえのない存在となっていた。

あらゆる戦場でどれほどの惨禍《さんか》に遭いながらも、降りしきる魔術の雨をくぐって、傷ついた友軍を必ず連れて戻る。

はじめこそ、「回復術《ヒール》も使えない糧食泥棒《りょうしょくどろぼう》だ」と呼ばれていた彼らだったが、一度でも衛生兵に命を救われた兵士たちは、二度と彼らを馬鹿にすることなく、感謝の言葉を捧げた。

汎人類連合軍の人的損耗は大きく抑えられ、結果として戦局は有利に展開。

魔族は衛生兵の着る白い衣を恐れ、率先して攻撃を加えたが、彼らは決して折れることなく、絶対に仲間たちを助けた。

その死を恐れず、死を遠ざけるさまから、彼らは戦場での信仰の対象となっていった。

「全てはグランド・エイダの教練がたまものであります」

数々の戦場で功績を挙げたカリア・ドロテシアン兵長もこのように語っており、近々勲章を授与される予定であるとされている。

そして。

そして、亜人混成部隊２２３独立特務連隊は——

§§§

飛び交う魔術、槍を突き立てられ絶叫する兵士、首を断ち切られて倒れ伏す魔族。

爆裂魔術は泥濘を耕《たがや》し、ヒトと魔族の血肉を等しく砕いて混ぜ、より色濃い汚穢《おわい》色の黒に変える。

降り注ぐ雨は全て魔術。

破壊と呪詛の権化。

総じて、レイン戦線異状なし。

「変わらずに今日も、この戦場はクソということだ」

ようやく包帯が取れたレーア・レヴトゲンは、火のついていない煙草を咥えたまま、事実をありのままにつぶやいた。

新調されたばかりだというのに、もうボロボロになっているスコップを振り回し、ひたすらに塹壕を構築していく彼女は、つい先日ようやく原隊復帰したばかりである。

極大魔術の連続行使は、さしものレーアをして総身のガタを招き、数ヵ月におよぶ絶対安静と機能回復訓練《リハビリ》を余儀なくした。

それでも、常人ならば寝たきりになってもおかしくないような不具合、後遺症を抱えているにもかかわらず、彼女は上層部に無理を通して最前線へと舞い戻る。

無論、戦場に満ちる死の臭いが恋しかった……からではない。

「私の怠慢《たいまん》は、故郷の同胞らが人生を、暗礁《あんしょう》に乗り上がらせる航路へと導くのと似ている。いつまでも休んではおられんよ」

彼女の部下たちも、そんな思いを同じくしていた。

先の戦いで重傷を負っていた者たちが、今は平然と任務を遂行しているのだ。

塹壕を這い、泥水をすすり、相手方の陣地から飛び出してきた間抜けな敵兵を殺す。

どこまでも日常的な光景。

連隊員全てにとって、もはや日常になってしまった風景だった。

「しかし、病床で勲章を受け取ることになるとは思わなかった」

言いながら、彼女は胸元へと、無意識に指先を伸ばす。

そこには、剣付き銀十字勲章が鈍い輝きを放ちながら、自らの存在感を主張している。

「……身体が重たくてかなわんね」

されどこの勲章ひとつで、どれだけの同胞が救われるのかと考えれば、無理に外そうとは思えない。

「私は、ここで生きて、ここで死ぬ。ここが最期《さいご》のゆりかごだ」

レーアは根っからの職業軍人である。

もはや自分が社会復帰したときのことなど考えない。

適応できないだろうことを知りながら、無用の思考と切り捨てる。

戦場に骸を晒す覚悟などとっくにできているし、何より国に尽くすとはそういうことだと判断しているからだ。

だが。

「まだ、そのときではない。どこぞのお貴族様のようにな」

命には使いどころがあり、それを誤《あやま》れば己だけでなく、多くの者に咎がいく。

そして悲しむ者すらいるのだということを、先のジーフ死火山決戦においてレーアは学んでいた。

咥えていた煙草を軽く揺らし、金色のエルフは薄く笑う。

煙草は、もう切らすことがない。

律儀に付け届けをしてくれる友人がいるからだ。

「まったく、罪作りな防人の後継《こうけい》であらされる」

戦場がわずかに落ち着きを見せた頃、何気なくレーアは周囲を見渡す。

「そういえばだ。クリシュ准尉」

「なんでありますかい、連隊長殿」

「あいつはどうした」

「……あいつとは？」

「我らが救い主、偉大なりし天使様だよ」

肩をすくめながらレーアが告げると、ハーフリングの准尉はまっすぐに右手を伸ばし、塹壕の末端を指さした。

その先を鷹の目で見つめ、レーアは天を仰ぎ、クックッと喉の奥で笑ってみせる。

「まったく……貴様は心底真髄《しんずい》から、戦場の天使だとも。なあ――エイダ・エーデルワイス？」

レーアの言葉が示した先で、白い少女は戦場を走り回っていた。

白衣を纏い、赤い蛇の紋様を背負う少女は、ひとりではない。

多くはない。

けれどたしかに同じ姿をした数名が、彼女に付き従い、戦地に倒れ伏した兵士たちを助け起こし、塹壕へと運んでいく。

レイン戦線異状なし。

されど、ここに変化あり。

エイダの率いる衛生兵は、日増しにその数を増やし、多くの命を救っていた。

飛躍的に人的資源の損耗が減少した人類軍は、今や魔族を押し返すほどに力を取り戻している。

銃後の民草からは日々激励の手紙が届き、おなじく兵士たちを支える物資が添えられていた。

「手紙にはこうある。『国を護る勇敢な亜人の皆さんへ』とな。ありがたくて涙が出る……本当にな」

変わっていく。

終わらない大戦は、日々姿を変えていく。

「変わらないのは、あれが多忙なことぐらいだろう」

「違いないですね」

エルフとハーフリングは、お互いに顔を見合わせて。

それから度し難いといわんばかりに、同じタイミングで苦笑を浮かべるのだった。

§§

塹壕の彼方。

走り回る白衣の少女を見つめ、ドワーフのダーレフ伍長は首をかしげた。

少女の腰元に、見覚えのない箱が結わえ付けられていたからである。

「エイダ殿、そいつはいったいなんでありますかな?」

オーガを担いで塹壕に飛び込んできたエイダは、テキパキと応急手当を行いながら、ダーレフの質問に応じた。

「中を見ますか」

「ぜひ」

「では、何か当ててみてください」

少女が箱をかたむけると、その中には清潔な包帯、度数の高いアルコール、添え木、カイロ、針、糸、ロープ、軟膏と、さまざまなものが収納されている。

ダーレフにとってはちんぷんかんぷんな代物で、おとなしく両手を挙げるしかなかった。

「降参です。小官にはさっぱりだ」

「試作してみたんです」

処置を速やかに行ってみせながら、エイダは答える。

「応急手当には、どうしても必要な資材というものがあります。それを画一化《かくいっか》して、衛生兵各人が持つようにすれば、処置の手際と対応力が飛躍的に向上するとは思いませんか？」

「はぁ」

「……伍長殿は、支給された武装がちぐはぐで、使い方の説明もされず、必要なものが足りていなかったらどう思います？」

「それは、当然作戦遂行が困難となって……ああ」

ドワーフは、そこで得心いったように手を叩いてみせた。

少女も、満足そうに頷く。

「――さすがですな」

ダーレフは、身体の奥底が震えるような感動を覚えていた。

装備の均一化《きんいつか》と、熟練度の安定性向上。

この少女は後進の育成を、さらにその先まで見据えてこの戦場にいるのだと、我がことのように誇らしくなったのだ。

「ちなみに、名前はあるのですか？」

「仮に、〝救急箱〟と名付けてもらいました。ヨシュア大佐は相変わらず名付け親になるのが好きなようです」

楽しそうに口元を緩めながら、少女は処置を終える。

ほかの衛生兵たちが駆け寄ってきたので、彼女は今の今まで治療していたオーガを預け、ほんの少しだけのびをした。

「んー！」

「お疲れの様子ですな。飴はいかがですか？」

「ありがたく頂きます」

ダーレフの差し出した飴を口の中に放り込み、にこやかな表情でコロコロと転がして。

不意に、彼女は真剣な眼差しとなった。

「……まだまだたくさん、やるべきことがあって、私はその全てが手探りです。この先増加する一方の衛生兵、その全てに私が手ずから技術を伝えることは不可能でしょう。だから、徹底したマニュアルと、初期装備、そして訓練の方法を考えなければなりません。それが適《かな》えば、あるいは……今より多くの命を、助けられるかもしれませんから」

理想ですけれどね、と少女はうそぶくように言って。

「だから、私は前へと進み続けます。この戦場の命を、可能な限り明日へと繋ぎます。だって、私は」

なぜならば、この潔《しろ》き少女は。

「この手の届く範囲全ての生命を抱きしめたい、そんな——傲慢すぎる女の子なのですから」

世界で最初の衛生兵。

戦場の天使。

レインの奇跡。

いくつもの異名で呼ばれる少女の瞳は、今この瞬間も、ひたむきな情熱によって赤く、宝石のように燃えているのだった。

地獄の代名詞、大戦争が最前線、レインのこの地を、今日も白衣の天使は駆け抜ける。

たったひとつでも多くの命を、明日へと繋ぐために。

「さあ、もうひとつ頑張りしますよ……！」

エイダ・エーデルワイスは。

「『彼は私に手を伸ばし——私は拙速の手当を施す《ファースト・エイダ》！』」

そうしてまた、颯爽《さっそう》と戦場へと飛び出していくのだった——

番外編

エイダのお手紙

EX episode

「謹啓《きんけい》、親愛なるヨシュア・ヴィトゲンシュタイン上級大佐殿」

銀杏《いちょう》並木が美しく色づく、リヒハジャの風景を見下ろしながら、エイダ・エーデルワイスは手紙を書いていた。

忙しく駆け回る日々の中、物資調達のため立ち寄った実家《ページェント邸》でのことだ。

内容は、彼女が従軍を決めた頃からお世話になっている、ヨシュア大佐の昇進についてだった。

アシバリー凍土の攻略を前に、大規模な軍備編成を始めた汎人類軍において、彼は大佐から上級大佐へと、異例の出世を果たしていたのである。

常日頃から気に掛けてもらっている——少なくともエイダはそう考えている——ヨシュアへ、贈り物をしたいと考えるのは、少女にとってごく自然なことだった。

「えっと……ご昇進ということで、大恩あるヨシュア上級大佐に贈り物をしたいと考えております。内容は——」

と、そこまで書いて、白い髪に赤い瞳の衛生兵は、ピタリと筆を止める。

コトンと、その小さな頭が、横に倒れた。

「さて、何を贈ればよいのでしょうか」

戦時下である。

贈答《ぞうとう》できる物となると、限られてくる。

何より、彼が好《この》むものの心当たりが、いまいちエイダにはない。

現在エイダ・エーデルワイスは、親任高等官という立場にあった。

どんな品物でも、たとえば多額の金子《きんす》であっても、検閲《けんえつ》を押し通してヨシュアの元へ届けることができるだろう。

しかし、そんなことをしても、眼鏡の上級大佐が喜ばないことを、エイダはよく知っていた。

「以前、食事をともにしたことがありましたね」

筆を口先へ当てながら、過去の出来事を思い返し、何が贈り物として妥当かと思案する。

視察に来たヨシュアと会食したとき、彼だけが兵站課から付け届けを受けた。

いわゆる賄賂《わいろ》の類いである。

ヨシュアはしかし、これを頑《かたく》なに拒否。

「自分に袖の下を忍ばせる〝ゆとり〟とやらがあるのなら、前線兵士の食糧事情を改善してはいかがか？」

こうまで言い切った彼のことを、エイダは素直に尊敬の眼差しで見ていた。

……実際は、親任高等官《エイダ・エーデルワイス》という人類王直轄の耳目《じもく》が側にいて、冷や汗を掻いていたというのが本当のところなのだが、エイダ当人に自覚はない。

それどころか彼女が、

「バランスの取れた食事は、長期的な兵役《へいえき》において必要不可欠なもの。この改善に着手してくださるとは、さすが大佐です！」

などと手放しに絶賛したため、ただでさえ苦み走っていたヨシュアの顔は、大層引きつることとなった。

これが兵站課と人事課の確執に繋がり、以降、眼鏡の上級大佐はその矢面《やおもて》へと立つことになるのだが、今は別の話である。

「煙草は……召し上がらない方でしたね」

親任高等官になったばかりの頃、エイダは軍部の会議へ同席を求められたことがあった。

会議中、多くの将官たちは頻りに煙草や葉巻を吹かしており、彼女はけほけほと咳き込んでしまう。

帰り道、ヨシュアとすれ違った彼女は、簡単な挨拶を交わしたあと思うところあって、その軍服を嗅ぐことにした。

ぴったりと身を寄せて、胸元辺りでスンスンと鼻を鳴らす。

「……なんのつもりか、エイダ・エーデルワイス親任高等官」

「…………」

「……人目が、あるのだが」

「大佐は、煙の匂いがしませんね」

「あ、ああ。美味いと思えたことがなくてな」

「とてもよいと思います！　たいへん健康的です！」

「ゴホン。貴官は、なんというか、徹底しているな……」

わざとらしい咳ばらいをして、平静を装《よそお》う彼に。

少女はただ、首をかしげることしかできなかった。

煙草を吸わない一方で、ヨシュアは度の過ぎた珈琲党であった。

「あれはいただけません。朝から晩まで、ことあるごとに珈琲、珈琲。珈琲を万能薬か何かと勘違いしているようで」

それでは胃を痛めることがわかり切っていると、エイダはたびたび忠言を申し立てていたが、彼は渋面になるばかりで聞き入れない。

「これだけだ。これだけが、自分の楽しみなのだ。飲料の自由まで奪われたら、自分は――うっ」

と、腹部を押さえるヨシュアを少女は思い出す。

たしかに、疲労困憊の彼である。

無理矢理好物を奪えば、ショックで倒れてしまうかもしれない。

ならばせめて、心が安らぐような――

「……あ！」

そこで、白い少女はひらめいた。

ひょっとすると彼の上級大佐は、珈琲以外の味を知らないのではないだろうかと。

「でしたら、お茶を贈ることにしましょう。ちょうど、とびきりに香りのよいリンゴを頂いたばかりでしたし」

部屋の隅に積まれた真っ赤なリンゴをひとつ、手元に寄せて。

胸いっぱいにその匂いを嗅ぎながら、エイダは手紙の続きを書くのだった。

§§

『　謹啓
親愛なるヨシュア・ヴィトゲンシュタイン上級大佐殿。

リヒハジャの銀杏並木も色鮮やかに紅葉している今日この頃、いかがお過ごしでしょうか？

ヨシュア大佐がお元気であられることを、私は切々と祈っております。

いいえ、もう大佐ではないのでしたね。

上級大佐へのご出世、心よりお祝い申し上げます。


王都中央でのご活躍は、レインの止まない雨に打たれながら、私も聞き及んでおります。

なんでも、憲兵隊と合同で、兵站課の方々を交え楽しい遊戯の時間を過ごされたとか。

知性の象徴たる眼鏡を輝かせているヨシュア上級大佐の様子が、瞼の下に浮かぶようです。

さて、ご昇進ということで、大恩あるヨシュア上級大佐に贈り物をしたいと考えております。

内容は、紅茶とリンゴを選びました。

果肉は美味しく食べられます。皮を煮だしたお湯で、どうぞ薫《かお》り高い紅茶を楽しんでください。

きっと心身が安らぐと思います。


それでは、恩人であるヨシュア上級大佐の、今後益々《ますます》のご活躍と、何よりも健康を祈りながら。

エイダ・エーデルワイスより、喜びを込めて。

謹白《きんぱく》』

「……ふふ」

届いたばかりの手紙を読み終えて。

ヨシュア上級大佐は、同梱《どうこん》されていた茶葉と真っ赤なリンゴを代わる代わる持ち上げ、鼻先へと近づける。

瑞々《みずみず》しい芳香に、彼のしかめっ面がわずかに緩む。

「紅茶か。ひさしく口にしていなかったな……おい、誰か湯を沸かしてくれ」

はい、と部下から応答がくるのを待って、読み直そうかと手紙に指先を這わせ。

「――ん？」

彼は、ギチリと表情を硬直させた。

手紙には、続きがあったからである。

『追伸《ついしん》

ところで衛生兵の今後について、ご相談があります。

具体的には、教導できる人員の確保、拡充を考えています。

別途その旨を書き記した計画書を同封しますので、ご一読いただければ幸いです。』


「…………」

届いた荷物を無言であさると、分厚い封筒が顔を見せた。

ヨシュアは。

「い、痛たたたた……」

すっかり持病となった胃痛に苦しみながら、机の上に常備しているエイダ特製の薬を探す。

「まったく――まったくあの戦場《むす》の天使《め》は、相変わらず解っていない……！」

彼は、せっかくほぐれた表情筋を引きつらせながら、天を仰いでうめくのだった。

「一番の心労の種は、他ならぬ貴官なのだがな！」

贈ってもらったばかりの紅茶は。

どうやら胃薬を飲むため、使われることになりそうだった。

書き下ろし短編

執務室を拝領しました！

EX episode

そこは机もなく椅子もなく、主すらいない無垢《むく》なる部屋。

当代最高峰の術者たちが、加減なく祝福と防諜魔術を施して築き上げた静謐の城。

汎人類軍陸軍衛生課、長官執務室。

大通商都市ルメールに新設された軍学校。その一室を間借りした、衛生兵の本丸であった。

「こちらで構いませんかな？」

そこへひと組の男女が入ってくる。

荷物を抱えた筋骨隆々とした男、ザルク少尉と。

その上司である白い髪に赤い瞳の少女――エイダ・エーデルワイス。

先日、人類王より親任高等官の地位を賜ったエイダは、同時にこの部屋も下賜されていた。

内装を終えたばかりの室内は真新しく、備品と呼べるものは今運び込まれた荷物のみ。

簡素な文机と本棚。そしてカバンが、エイダの所持品の全てだった。

「ありがとうございますザルク少尉。あとは休まれてください」

「はっ。どうかいつでも、お声がけをください。自分はそのためにおりますので」

配慮に満ちた表情で敬礼をひとつ、大男は退室する。

机についたエイダは、ゆっくりと室内を見渡した。

よい部屋である。質実剛健。風通しも申し分なく、塵ひとつ落ちていない。

南側に設置された窓から射し込む光は、冬を間近にして遠慮がちだが、それでも十分な光量。

照らされた机の上に指先を這わせれば、自然と感傷がこみ上げてくる。

「……自分の部屋を持つなんて、思えば子どものとき以来ですね」

長い間スラム街で暮らし、烈火団に拾われたあとも廊下で寝泊まりしていた彼女にとって、自室を与えられるという体験は物珍しかった。

何を置けばいいかも解らず父親に相談したところ、丁寧な包装で届けられたのが件の机と本棚。

幼いエイダが使っていたものを、老いた彼は今日まで保存していたという。

「お父様にとっては、これと同じだったのでしょうか」

首から下げていた指輪を取り出し、陽光にかざす。

物に固執しない彼女が、例外的に手放さない母親の形見。あるいは郷愁の結晶が、少女の白い肌へと赤い光を落としたときだった。

「――ずいぶんと、黄昏《たそが》れているようね」

響いたのは涼やかな声。続いてノック音。

反射的に視線を入り口に向ければ、見知った顔がふたつ並んでいた。

「アンティオキア様。マリアさんも」

「あらあら、わたくしをおまけ扱いなんて、偉くなったものですね。回復術士の斡旋《あっせん》でずいぶん頼られたと思っていましたけど、もう忘れちゃったかなー？」

ニコニコと笑みを浮かべながら、許可も得ずに入室してきた法衣礼装に眼鏡の女性――マリア・イザベルは、エイダの桃色の頬をもちもちとこねくり回す。

「ひゃ、ひゃめてくりゃはいマリアひゃん。アンティオキアひゃまも、止めてくりゃはい」

思わず助けを求めれば。

聖女ベルナデッタ・アンティオキアは、第一種戦時聖別礼装の頭巾《ウィンプル》から伸びる春色の髪をさっとかき上げ、すまし顔でこうつぶやいた。

「ふっ。うらやましいわね……」

「何か言った、聖女ベルナ？」

「いいえ、何も。それよりもマリア、無礼はそこまでにしておきなさい。それの立場は、一応〝閣下〟よ」

聖女の言葉を受けて、マリアはハッと身体を硬直させ、おっかなびっくり距離を取る。

なるほどと、エイダはため息をついた。たしかに、立場は以前と異なる。

高等官として走り回っていた頃と親任高等官の今とでは、佐官と中将ほど身分の開きがあるのだから。

軍部と教会、そして回復術士の折衝役であるマリアにしてみれば、エイダはもはや、扱いやすい玩具ではないのだろう。

「あなたが扱いやすかったことも、玩具だったことも、わたくしの記憶には欠片もありませんが」

「そうなのですか？」

そうなのよと答える翼十字教会のふたり組は。

しかし室内を見回して、顔をしかめた。

「慰問のついでに立ち寄ってみれば案の定じゃない。ねぇ、エイダ・エーデルワイス親任高等官」

「はい？」

聖女が、深いため息とともに問い掛ける。

「この部屋、殺風景にもほどがあるとは思わない？」

§§

冒険者として東奔西走。

年がら年中あちこちを駆けずり回ることが当たり前になっていたエイダには、必然的に最小限の品物しか携行しない癖がついていた。

その結果こそ、このがらんとした執務室である。

「ここを訪ねる前、聖女ベルナは仰いました。あれは他人を助けるためなら湯水の如く私財を投入するのに、自分のこととなれば無関心極まりないと。身の回りの物など最小限以下だと。わたくし、さすがに冗談だろうと流していたのですが……」

「当たっていたでしょう？　というわけで、エイダ・エーデルワイス親任高等官——は、長いわね。閣下で構わないかしら？」

「構います。恥ずかしいのでやめてください」

「慣れないと今後辛いわよ？　それで閣下、つきましてはこちらを差し上げます」

いつものすまし顔で聖女が顎をしゃくれば、慣れた様子でマリアが相槌《あいづち》を打つ。彼女は眼鏡のつるを押し上げると、持参した箱をエイダに手渡した。

「なんでしょう。開けてみても？」

「ええ、閣下。プレゼントは目の前で開けて、一喜一憂を示すのが作法です。どうぞご自由に」

言われるがまま、少女は開封し。

「わぁ……！」

感嘆の声を上げる。

木箱に収められていたのは、一揃いのティーセット。

目が醒《さ》めるような白磁に刻まれているのは、気高き白百合の象嵌《ぞうがん》。

ふちには気品あるゴールドが使用されており、どこまでも格調高い。

「素敵な細工ですね。古典様式に則った新版、アンティークだとお見受けしますが、値段としてはおそらく——」

「貴族って、まず値踏みをするのよね。閣下、他に何かないかしら？　もっとこう、エモーショナルでビビッドな反応は？　花柄が可憐とか、自分にぴったりの愛らしい茶器で琴線に触れるとか、買ってきた甲斐があるリアクションを所望したいのですけど？」

「……？　…………？」

「予想どおり！　でもそこが推せるところよ！」

解釈の一致を見て白い肌を高揚させる聖女。

同意を求められてマリアはこめかみを揉んだが、やがて口を開いた。

「来客をもて成す茶器など用意していないだろうという見解には、わたくしも同意しました。なので、それなりの品を選んできたつもりです。未来の大聖女が直々に贈るのです、大事にしてくださいね」

「これを機に調度品ぐらい揃えたらいいわ。執務一辺倒に使う部屋でもないでしょう？」

「え？」

「は？」

執務と密談ぐらいにしか使う予定がなかったエイダは眼を瞬かせたが。

すぐに我へと返り、お礼を口にした。

「素敵な品をありがとうございます。早速、お茶を淹れましょう。丁度あるものを焼いている最中でして……えっと、薬草茶でも構いませんか？」

「ふむ――楽しげな歓談の最中にすまないが、失礼するよ」

控えめなノックと、謹厳実直な声が、お茶の準備をしようとするエイダの動きを止めた。

顔を見せたのは、鷲鼻に眼鏡を乗せた壮年男性。

彼を見るなり、エイダは「まあ！」と手を合わせる。

「ヨシュア・ヴィトゲンシュタイン大佐――いえ、上級大佐殿！　出世のほど、おめでとうございます！」

「私より、貴官のほうがよほど出世をしているのだがね」

苦笑いしつつ、ヨシュアは持参した荷物を、部屋の主へと差し出す。

「たまさか、人員の監査でルメールに立ち寄った。遅くなったが、これは貴官の就任祝いだ。受け取ってほしい。ああ、受け取って戴きたい、と言うべきですかな？」

「そんな」

エイダは両手を振って、とても受け取れないという旨を告げる。

「衛生課の設立に尽力してくださっただけで、私はうれしかったのです。どうかかしこまらないでください、ここは上層部でもないのですから。それに、お祝いだなんて」

「ならば対応は変えないことにするが……なに、あって困るものではないのだ。貴官は夜であっても構わず仕事をするつもりだろう？　目を悪くしないよう、魔導ランプを贈らせてもらうよ」

子どもの誕生日に、得意満面でプレゼントを渡すような物言いをしたヨシュアに対し、

「はぁー……これですから事務方は」

聖女が、当てこすり気味のため息をつく。

「なに？」

不可解さに眉間を寄せるヨシュア。

ベルナデッタは「いいですか？」と、こめかみを指先で叩きながら指摘を投げつける。

「そんな贈り物をしたら、この娘はいつまでも仕事をしてしまうに決まっているでしょう。いつ寝させるつもりですか？」

「いかにミズ・エーデルワイスが仕事中毒でも、休むときは休むに決まっているだろう」

「解っていない御仁ですね」

「貴公こそ、彼女を信用していないようだな？」

「は？」

「なんだね？」

バチバチと火花を散らす男女ふたり。

その横で、にこにこと魔導ランプの調子を見ていたエイダは、ふと疑問を抱いた。

「夜更かしという話題で思いつきましたが、ヨシュア上級大佐は激務の最中、眠気を覚えたときなど、どうされていますか？」

「よくぞ聞いてくれた。やはり、一番はこれだ」

眠いのなら寝たほうがいいだろうという聖女たちの意見は黙殺され、仕事第一主義者たちの会話は続く。ヨシュアは熱の入った様子で、懐から紙袋を取り出してみせた。

「こちらも祝いの品だ。素晴らしいだろう？」

中身を見せられて、エイダは首をかしげてしまった。

そこには、黒い豆が詰まっていたからだ。

「なんですか、これ」

「方々を探し回ってようやく入手できた珈琲豆だ。上質な正規品だぞ！」

「そう、なんですか？」

「……なるほど。決め打ちで贈ったものが路傍の石の如く扱われると、たしかに自分の理解度が低かったと痛感させられるな……」

「それに関してはご愁傷様としか言えないわ、事務方さん」

「聖女殿に同情されるとは……いや！」

それよりも睡魔の話だろうと、ヨシュアは気を取り直す。

「眠気を防ぐのなら、珈琲が最善だ。なんならば、淹れ方をレクチャーしよう」

「上級大佐殿がですか？」

「無論、私手ずからだ」

胸を叩いて請け負うヨシュア。

彼の表情に宿るのは、極めて強い自負。

「これでも士官学校時代、先輩方の飲食を任されていてね。代用珈琲を淹れさせたら私の右に出る者はいないと評判だった。いいかね、ミズ・エーデルワイス。珈琲を美味く淹れるコツは単純で奥深い。まずはお湯の温度だ。熱すぎても冷ましすぎてもいけない。沸騰させたものを少しだけ置いて粗熱を取る。次に挽いた豆を少量のお湯でほころばせてやる必要があるのだがこの挽き具合も——

——」

くどくど、くどくどと、蘊蓄《うんちく》を語り始める眼鏡の上級大佐。

それを胡散臭そうに見やる聖女とお付き。

「やはり、コーヒーは控えて戴きましょう。胃に悪影響が出そうです」

エイダが内心でそんなことを考えたとき。

この日、三度目のノックが執務室へと響いた。

入り口へと顔を向けて、エイダは飛び上がらんばかりの歓声を上げる。

「レヴトゲン特務大尉殿！」

「……失礼いたします、皆様方！」

居並ぶメンツを見て、即座に敬礼をとったのは金髪のエルフ。

２２３独立特務連隊連隊長、レーア・レヴトゲンであった。

彼女の背後には、場違いだなと顔に書いてある数名の亜人が、同じように答礼を待っている。

エイダとヨシュアがこれに応じ、２２３連隊はようやく休めの姿勢に入った。

隊を代表して、レーアが口火を切る。

「エイダ・エーデルワイス親任高等官殿。このたびは昇進のほど、誠にめでたく存じます。つきましては、大変……その、大変ささやかながら……贈答品を……」

豊かなレーアの声が、次第にしぼんでいく。

彼女の視線が向いていた先にあったのは、聖女やヨシュアが持ち寄った贈り物の数々で。

「あー、本日は挨拶だけということで。練兵訓練へと戻りたく」

「いえ、ぜひ一服していってください特務大尉殿。丁度、珈琲を淹れる手はずになっていたのです。それに、もうそろそろ焼き上がるはずですから」

「……焼き？　はっ！」

「もう、いい加減改まった態度は結構です！」

命令だと受け取ったレーアが直立不動の姿勢を取るので、少女は強引に金髪エルフの構えを解きほぐしてみせる。

「特務大尉は、私を同胞と言ってくださったではないですか」

寂しいですとかすかに笑えば、もはやレーアに反論の余地はなかった。

「……ならば、お言葉に甘えて。これでいいか、エーデルワイス親任官？」

「はい！」

満足げな笑みを浮かべたエイダは、そのまま気になっていた223連隊の面々へと顔を向ける。

「ところで、皆さんがお持ちになっている荷物は、ひょっとして」

「隠し立ては無意味か。隊の馬鹿どもが持ち寄った贈り物だ。本当に、ささやかだがな」

いささかばかり、苦みが勝った笑みで差し出された包み。

内容物は、たしかに高価な品物ではなかった。

アルコールや、少し上等な干し肉、ペーパーナイフと、それに飴玉。

ベルナデッタやヨシュアが持ってきたものと比べると、どうしても値段では見劣りする。

けれど、うれしかった。

激戦の中、明日をも知れない兵士たちが、その恐怖を誤魔化すために貯め込んだ小さな希望。

ささやかな贅沢に、ほんのわずかな祈り。

贈り物には、そういったものが宿っていると、少女には理解できたからだ。

振り返り、机の上に置かれたランプとティーセットを見つめる。

ならばこれらも、同じように器なのだろう。

託された想いの、温かな器。

先ほどまではただの品物としか思えなかったそれらが、今では黄金のように輝いて感じられる。

エイダはゆっくりと目を閉じ、しっかりと開く。

視界に居並ぶのは、よく見知った顔たちだ。

今日まで彼女を支えてくれた、たくさんの仲間で。

きっと、かけがえのない存在たち。

「ちょっと、姉上！　なにをいい感じに感極まっているか知りませんが、オーブンの中身、焼けましたよ！」

そんな空気をぶち壊すように、部屋へと飛び込んできたのは紅顔の美少年。

エイダの弟である、エルク・ロア・ページェントであった。

「……あ、レーアさん！　お久しぶりです！　なにか戦地で必要になったものはありますか？　いつでも用立てますが！」

彼は金色エルフにラブコールを送るが、ずいぶんとつれなくされていた。

エイダの口元が、自然とほころぶ。

「ヨシュア上級大佐殿」

「なんだね?」

「珈琲とは、振る舞うのが難しいものでしょうか」

「……いいや。大事なのは心だ。相手を想って淹れること。その前では、巧緻《こうち》さなど些細なことでしかない」

「では、私やってみたいです。ご指南を、お願いできますか?」

ヨシュアはもちろんだと頷く。

「それでは皆さん、どうかもう少しだけお待ちください」

「あら? あんたからもなにかある、という顔ね」

聖女の問い掛けに、エイダはとびきりの笑顔で答えた。

「はい! 私お手製のアップルパイが焼けました。ぜひぜひ、召し上がっていってくださいね!」

§§

テーブルを囲み、わいわいガヤガヤと喧噪《けんそう》が響く。

彼らはお喋りと焼き菓子に夢中だった。

薫り高きアップルパイは飛ぶように売れていく。

聖女はヨシュアとなぜだか論戦を始め。

マリアとレーアはこの仲裁にかかりきりとなって。

ほかの亜人たちが、やれやれ！　もっとやれ！　と無責任にはやし立て焚《た》きつける。

ヒト種もなく、亜人もなく、軍人もそれ以外も関係なく。

皆が同じ食卓を囲んで、同じ飲み物を口にしていた。

「ほろ苦く……ですが、とってもあまやかです」

珈琲をそっと持ち上げて、エイダは微笑む。

「アンティオキア様」

「なにかしら？　今は、このわからず屋の事務方を言い負かすので忙しくて――」

「このティーカップ、大切にします。ずっと、ずーっと」

「――そう」

いつもすまし顔の聖女が。

しかしこのときばかりは隠すことなく、喜びを見せた。

「なら、うれしいわね」

「私もです。皆さんから頂いたもの、全部大事にします。今日は、本当にありがとうございました」

少女が白い頭を下げれば、全員が穏やかに目尻を下げる。

「この時間が、私にとってなによりの宝物です！」

花が咲くような笑みで告げるエイダ。
窓の外からはさんざめく陽光が射し込み。
居合わせた全員を、穏やかな光で包み込んでいるのだった——

あとがき

初めまして、作者の雪車町地蔵です。『ゆきくるままち』ではなく、『そりまち』です。雪車と書いて『ソリ』と読む、今日はこれだけ覚えて帰ってください。

本作はファンタジー戦記ものです。あるいは貴種流離譚。追放ものかつお仕事ものでもあります。ややこしいので、よくわからない用語が出てきたらとりあえず読み飛ばすのが正解でしょう。塹壕とか書かれていたらデカくて長い溝なんだなぁ、ぐらいのふんわり認識で全く問題ありません。

とはいえ、作品の骨子はしっかりやらせていただきました。

――これは、衛生兵の物語です。

アメリカン・ナイチンゲールと呼ばれた赤十字の母、クララ・バートン女史をご存じでしょうか。南北戦争で活躍し、救急箱や応急手当の産みの親となったすごい人物です。

そう、応急手当とは、ずいぶんと現代になってから生まれた概念なのです。

ではそんな応急手当を、剣と魔法のファンタジーワールドへ投げ入れたら、どんな化学反応が起こるだろうか？

この物語は、そんな地点から出発しました。

結果は……そうですね、読み終えたあなたにとっては、今抱いた感想が全てでしょう。

あとがきから読まれているあなたは、ぜひこれらの背景を頭の片隅において読み進めてください。きっと破天荒な主人公に驚くことだと思います。

ところで本作、ウェブ掲載時のタイトルが長すぎて出版時に短くなったという、一時期の潮流に逆行するムーブをかましております。試行錯誤の末に、よりよいものをお届けできたと自負しておりますが、いかがでしょうか？

これでもまだ長いほうらしく、作者は勝手にメインタイトルの文末をとり、『たらした』の略称で呼んでおります。

話が進むにつれて、周囲の人間を次々たらし込む、脅威のひとたらし衛生兵エイダ・エーデルワイスの物語なので『たらした』。

よかったらハッシュタグとかつけて、青い鳥マークのSNSなどで感想を呟いていただけると嬉しいです。

さて、本巻には、ウェブ版においてクリスマスサプライズとして掲載した番外編『エイダのお手紙』と、今回新たに書き下ろした短編『執務室を拝領しました！』が載っています。

どちらも第一部終了後のお話なのですが、第一部があるということは当然第二部もあるわけで、おそらくこの本があなたの手元に届く頃には、『小説家になろう』さんのほうで連載がスタートしていることでしょう。お楽しみに。

特に『執務室を拝領しました！』を先に読んでおくと、スムーズかつ楽しく第二部に突入できるようになっており、つまりはお得です！　当社比120％ぐらいお得です！（作者の感想です。効果には個人差があります）

番外編の話もしましたが、本編も紙幅が許す限りがっつり加筆しております。初見の方にしましても、きっとご満足いただけるものと信じております（作者の感想です。信仰には略）。

主人公であるエイダ・エーデルワイスは、直進を続ける娘です。

如何なる困難を前にしても、目的達成のためなら前進をやめません。まるで真っ直ぐ歩き続けてさえいれば、諦めさえしなければ夢はいつか必ず叶うと言わんばかりです。

ところが、実際の人生というのは曲がり道分かれ道坂道だらけで、直進というのが難しかったりします。いきなり断崖絶壁だったり、目の前に障害物が立ち塞がったり、そんな波瀾万丈があるものです。

難所を進むわけですから、擦り傷切り傷だけでは済まず、大怪我をしてしまうかも知れません。

そんなとき、本書が少しでもあなたの傷に寄り添い、読んでいる間だけでも流れる血を止められるような、まさに応急手当のごとき代物となれたのなら、これ以上の喜びはありません。

ファースト・エイダ！


出版にあたり、本書はたくさんの方々に支えられて刊行まで漕ぎ着けました。

ネット小説大賞で拙作を見初めてくださいました宝島社様。エイダたちに勇ましくも愛らしい最強のビジュアルで命を吹き込んで戴きましたtokiwa.様。新人ゆえに無茶苦茶を言い出す作者を導いてくれた担当編集者様。的確かつ精度の高いご指導には足を向けて寝られません校正校閲様。年末年始に奔走いただき平身低頭するしかない営業担当様。あと、作者旧来の友人、デビューしたら肉を御馳走しろと迫る謎の師匠S＆N。何よりも、本書を手に取ってくださった〝あなた〟。

この場を借りて、心よりの感謝を申し上げます。
本当にありがとうございました！
この御恩は、いつか続刊などでお返しできたらいいなと思います。
そもそも続くのか？　続いてくれるのでしょうか？　いやさ――続け！

２０２２年１２月某日、某所にて『Ｍ八七』を聞きながら
雪車町地蔵

雪車町地蔵（そりまち じぞう）
第10回ネット小説大賞にて本作で金賞を受賞しデビュー。

イラスト tokiwa.

※この物語はフィクションです。作中に同一の名称があった場合でも、
実在する人物、団体等とは一切関係ありません。

回復術士だと思っていたら、世界で最初の衛生兵でした！
勇者パーティーを追放されたヒーラーは、戦場の天使と
讃えられました
（かいふくじゅつしだとおもっていたら、せかいでさいしょのえいせいへいでした！
ゆうしゃぱーてぃーをついほうされたひーらーは、せんじょうのてんしとたたえられました）

2023年2月10日　第1刷発行

著者　雪車町地蔵

発行人　蓮見清一
発行所　株式会社 宝島社
〒102-8388　東京都千代田区一番町25番地
電話：営業03（3234）4621／編集03（3239）0599
https://tkj.jp

印刷・製本　中央精版印刷株式会社

ISBN978-4-299-03846-3